The

CENA TRIMALCHIONIS

of Petronius

10/-

Jas. Cordon Howie.

October 1961.

For the Mercury with caduceus and winged hat and sandals, cf. Ch. 29. Above and below are PAINTED ELECTION ANNOUNCEMENTS (cf. App. A) which read:

C. IVLIVM POLYB(IVM) II VIR . . . RQG.

HOLCONIVM PRISCVM II VIR I.D. D.R.P. O.V.F.

C. CALVINIVM II VIR . . .

The

CENA TRIMALCHIONIS

of Petronius

together with

SENECA'S APOCOLOCYNTOSIS

and a selection of

POMPEIAN INSCRIPTIONS

Edited by

W. B. Sedgwick, M.A.

Second Edition

OXFORD

AT THE CLARENDON PRESS

Oxford University Press, Amen House, London E.C.4

GLASGOW NEW YORK TORONTO MELBOURNE WELLINGTON
BOMBAY CALCUTTA MADRAS KARACHI KUALA LUMPUR
CAPE TOWN IBADAN NAIROBI ACCRA

FIRST EDITION, 1925
REPRINTED 1931, 1939

SECOND EDITION, 1950
REPRINTED 1954
REPRINTED WITH CORRECTIONS 1959

PRINTED IN GREAT BRITAIN

PREFACE

As the aim of this book is to make the *Cena* as widely available as possible, the notes are rather full, so that it may be read at a fairly early stage, as well as in sixth forms. I have also borne in mind that for most users there will be no other help to fall back on, and so have made it as complete as I could.

The scope of this edition being very different from that of any other known to me, I have not been able to make as much use of previous work as I otherwise might. Friedländer and Lowe have been consulted with profit, but I have made most use of the excellent text of Bücheler, revised by Heraeus, with its useful indexes.

It is hoped that the addition of the *Apocolocyntosis* and Inscriptions will add to the interest of the book; some knowledge of Pompeian inscriptions is indispensable for the full appreciation of the *Cena*, while the latinity of the *Apocolocyntosis* presents some striking similarities. Apart from this they should prove interesting for their own sake. The notes are here reduced to a minimum.

Two special points require a word. One reason for neglecting Petronius, apart from the lack of a school edition, has hitherto been the number of hard words: it will be found that all words not in the small

Gepp and Haigh are here explained in the notes. Personally I should not expect a pupil to spend time memorizing all the queer words Petronius uses, yet to the more advanced they are full of interest. Certain passages might well be omitted (e. g. chaps. 35, 39–41. 8, 56. 7–10, 66, 69. 6–9) or translated to the class by the master. After consideration it has been decided to omit nothing of the text except a few lines unsuitable for school use; if a master wants to omit, he will thus be able to make his own selection, while those will have the whole text who prefer it.

The *Ephesian Matron* unfortunately proved intractable for our purpose, but I have given a condensed version of this famous story rather than omit it altogether.

A few notes on special points, for which an elementary edition was hardly the place, will be found in the *Classical Review*, 1925.

Finally, may I express the hope that this edition may be the means of introducing to the original text of Petronius some of the many who know him only by report or from English translations? They will, I think, be agreeably surprised to find him one of the easiest of Latin authors.

1925   W. B. S.

In this second edition I have enlarged the notes and appendices in order to make the book more useful to universities; while I have kept most of the elementary notes, since I feel that they still supply a need.

1949   W. B. S.

CONTENTS

LIST OF ILLUSTRATIONS

INTRODUCTION

§ 1.

Petronius.

THE author of the *Satyricon*, from which the *Cena Trimalchionis* is taken, is now universally identified with the Petronius who is well known as the minister of Nero. His life and character, and the origin of the surname Arbiter are summed up in the following brilliantly characteristic portrait from Tacitus (*Ann.* 16. 18), which is the source of nearly all our information. The fact that Tacitus does not mention him as an author need not surprise us when we remember that he also passes over (in the books extant) what he would doubtless consider the far more important writings of Seneca.[1] (It is likely that Petronius' work, containing as it probably does, a parody of the poetry of Nero himself, would be published anonymously, if not posthumously; it is, however, absurd to consider Trimalchio a caricature of Nero.)

Tacitus' account. 'His days he passed in sleep, his nights in the business and pleasures of life. Indolence had raised him to fame, as energy raises others, and he was reckoned not a debauchee and spendthrift, like most of those who squander their substance, but a man of refined luxury. . . . Yet as proconsul of Bithynia and soon afterwards as consul he showed himself a man of vigour and equal to business.

---

[1] So Quintilian in his account of Roman Tragedy passes over Seneca's plays.

Then, falling back into vice, or affecting vice, he was chosen by Nero to be one of his few intimate associates as a critic in matters of taste (elegantiae *Arbiter*). . . . Hence jealousy on the part of Tigellinus, who looked on him as a rival, and even his superior, in the science of pleasure.   And so he worked on the prince's cruelty, which dominated every other passion ; charging Petronius with having been the friend of Scaevinus, bribing a slave to turn informer, robbing him of the means of defence, and hurrying into prison the greater part of his domestics.   It happened at the time that the emperor was on his way to Campania, and that Petronius, after going as far as Cumae, was there detained.   He bore no longer the suspense of fear or of hope.   Yet he did not fling away life with precipitate haste, but having made an incision in his veins and then according to his humour bound them up, he again opened them, while he conversed with his friends, not in a serious strain or on topics that might win him the glory of courage.   He listened to them as they repeated, not thoughts on the immortality of the soul or on the theories of philosophers, but light poetry and playful verses.   To some of his slaves he gave liberal presents, to others a flogging.   He dined, indulged himself in sleep, that death, even though forced, might have a natural appearance.   Even in his will he did not, as did many in their last moments, flatter Nero or Tigellinus, or any other of the men in power.   On the contrary he described fully the prince's shameful excesses, with the names of his male and female companions and their novelties in debauchery, and sent the account under seal to Nero.   Then he broke his signet-ring, that it might not be available to bring others into peril.'   (Church and Brodribb's translation, by permission of Messrs. Macmillan & Co.)

[1] We learn from another source that he caused his most precious vase to be broken, so that Nero should not be able to appropriate it.

The Satyricon.

The *Satyricon* (probably gen. plur. = σατυρικῶν) must have been originally a work of great length, as the extant fragments belong to books 15 and 16 ; this consideration disposes at once of the one-time widely held theory that the Satyricon was the document referred to by Tacitus as sent at Petronius' death to Nero.

The speaker throughout the whole book is Encolpius, who tells the adventures of himself, his friend Ascyltos and the boy Giton ; in the extant portions a prominent part is also taken by the ' rhetor' Agamemnon.

The story deals with the wanderings of this disreputable party, and is probably a parody of the *Aeneid*, with Priapus in the role of Juno. The trio are found in Marseilles, Campania and Croton, and no doubt visited many other places, everywhere engaging in shady dealings in their attempt to gain a living without earning it.

Altogether the story, though to a certain extent unintentionally, is a severer satire on Roman Society than even the most highly coloured invectives of Juvenal.   There is not a redeeming feature in any of the leading characters ; their utter moral worthlessness is only accentuated by their high intelligence and culture ; it is a relief to turn to the simple vulgarity of Trimalchio and his circle.

However vicious the lower classes may have been in the first century A. D., it seems beyond a doubt that they were not so morally rotten as the upper classes and their hangers-on.   Unfortunately it is only the upper classes as a rule who figure in the ordinary literature of the time.   Till recently almost our only authority for the lives of the common people was the early Christian writings ; even from these it is clear that there must have been a large leaven of sound morality and yearnings for higher things among all but the aristocracy, otherwise Christianity could not have been so readily accepted, and, when accepted, adhered to : even the enemies of the Christians admitted the purity of their lives. It is noteworthy that in the best days of Christianity it was the exception to find converts among the upper classes.

We have now, however, recovered from the sands of Egypt an enormous body of documents (papyri), consisting of private letters, bills, receipts, magical incantations, school exercises, records of law-suits, &c., which give the most minute and unimpeachable evidence on the condition of the people.[1] The conclusion is exactly what one would expect from a study of Petronius. The mass of the people were comparatively untainted by the deep-seated corruption which pervaded the 'smart set' of the ancient world. Not that they were free from vice ; they had the same failings as Trimalchio's friends, but like them they had at bottom a fund of genial kindliness and good nature which was fertile soil for Christian evangelism. What repels us in the social life represented to us in the literature of the early Empire is not so much vice as an utter heartlessness and absence of finer feeling, which the high level of the culture of the time is powerless to redeem or to palliate ; in a word Roman civilization failed to produce a 'gentleman'.

§ 3.
The Satura.

The word 'satura' originally meant a 'medley' (Juvenal calls his book a 'farrago'), and was applied to a book of varied contents and loose construction such as the famous poems of *Lucilius* (120 B. C.) which consisted of discourses

---

[1] In connexion with Petronius we may notice that the Greek of the papyri is as far from classical Greek as the Latin of Trimalchio is from that of Cicero, while the spelling is often atrocious.

in a very free and easy style on any subject which interested him—e. g. the account of a journey, a banquet, a trial, a quarrel (all imitated in Horace's satires). The charm lay not so much in literary elegance as in the picture presented of the author's mind and character, for which this go-as-you-please style was well adapted.

An innovation was the *Saturae Menippeae* of *Varro* (friend of Cicero) so-called after Menippus, a cynic philosopher of Gadara in Palestine, who wrote in Greek his pungent but genial observations on life.   Varro's *Menippeae* (see the excellent account in Mommsen, *R. H.*) were voluminous, about 100 titles having come down to us, and written in every kind of verse, mixed with prose.   They are on every conceivable subject—ranging from a voyage through space to an account of an ideal state—though their main object was the inculcation of a homely and old-fashioned, typically Roman philosophy of life.

Horace, in spite of his criticisms, closely followed Lucilius both in method and choice of subject, while avoiding his personal attacks and using only Hexameters.[1]   To indicate the nature of his poems, he called them 'Sermones' and 'Epistolae'.

By this time the bent of this class of writing was beginning to set in definitely towards what we understand by satire. This tendency was fixed by the posthumous publication under Nero of the slender volume of *Persius'* six satires. Still Persius, a close student of Horace, does preserve something of the discursive character of the old 'Satura', being, in particular, fond of introducing conversations.

Exactly contemporary with Persius was *Petronius*, who struck out a line of his own.   Keeping the mixture of Prose and Verse (though prose is now predominant), he extends his

---

1 Lucilius had begun to write his satires in the popular trochaic tetrameter, but later confined himself to the hexameter.

work to great length, and sustains the interest by introducing a definite story and plot. What the plot was, it is difficult now to say, but it was clearly a loosely connected narrative strung together round the adventures of a few characters.

Immediately after the death of Claudius (A.D. 54) *Seneca*, to his eternal disgrace, published an account of his deification (apotheosis) which he called ἀποκολοκύντωσις ('pumpkin-ification'—though it contains not a word about pumpkins) describing the unsuccessful attempts of the newly made god to obtain admission to Olympus. Claudius (who has been compared to our James I) had many defects, which are made the most of by Seneca, who, though a Stoic philosopher, thought this the best way of ingratiating himself with the young Nero. The work is really clever, and is written in the 'sermo cottidianus', with verses interspersed after the fashion of a 'Satura Menippea'—probably in close imitation of Varro. Its diction shows many close parallels to that of Petronius.

The remaining writer of satire is *Juvenal* (A.D. 100); in him we get the fully developed modern satire, which is not a medley, but a single theme fully worked out, illustrated by historical and contemporary allusions, and marked by invective.

§ 4

The Satyricon *in the history of the novel.*

The earliest work in Classical Literature which can be regarded as a novel is Xenophon's *Cyropaedia*. This is an idealized account of the life and training of the young Cyrus, king of Persia, and may be called a historical novel, though its object is rather to instruct than to amuse. The *Cyropaedia* stands alone, and seems to have no imitators.[1]

---

[1] The *Ninus* papyrus (pub. 1893) may, however, be a link between Xenophon and the later Greek novelists. [Further papyrus fragments indicate that the *genre* may have been parodied by Petronius.]

In the first century B. C. we hear of the *Milesian Tales*, which seem to have been romances of a licentious, and probably humorous character; Petronius himself has an example in the tale of the 'Ephesian Matron'. These tales were collected by one Aristeides of Miletus, and translated into Latin by Sisenna; it is these which were found in the tents of the officers of the Roman army defeated by the Parthians at Carrhae, and occasioned the scornful remark of the Parthian chief, that it was no wonder the Romans were but poor soldiers, if this was the sort of stuff they read.

It was probably these which were the models of Petronius, though he adopted the form of the Menippea.

The *Metamorphoses* of *Apuleius* (A. D. 160) contain the adventures of a young man, magically transformed into an Ass, and are described by the author as a ' Milesian tale ' (there is no poetry). The ' Ass ' wrongly ascribed to Lucian (A. D. 160) has precisely the same plot, and if not imitated by Apuleius is drawn from the same source. Apuleius, however, adds much other material, particularly the lovely fairy-tale of ' Cupid and Psyche ' and the mystical conclusion.

The *Vera Historia* of *Lucian* is a mere extravaganza—a caricature of the 'Traveller's tales' of Herodotus and others.

Several other *late Greek novels* (first–fourth century A. D.) are extant, all dealing with the adventures of a pair of lovers; all are deficient in humour and character-drawing ; all have the same plot—an elopement, a capture by robbers, a shipwreck, trials of the lovers' constancy, long wanderings and reunion ! (The best are by Achilles Tatius and Heliodorus.)

The one exception is the *Daphnis and Chloe* ('Pastoralia') of *Longus* (perhaps about A. D. 300)—a charming idyll of the innocent pastoral life of a young shepherd and shepherdess, though all is spoilt by the discovery that both are long lost children of wealthy and thoroughly respectable parents. It was this book which suggested the story of *Paul and Virginia*.

It will be noticed that the ancient novels have no proper plot, but centre round the wanderings and adventures of the heroes, who are usually none too respectable. All belong to the class of novel called *Picaresque* (Spanish *pícaro*, 'rogue'). The nearest modern parallels are the picaresque novels of the sixteenth and seventeenth centuries, such as *Lazarillo de Tormes* and *Guzmán de Alfarache* in Spain, and *Jack Wilton* (Nash) in England, while the romantic and pastoral side was developed out of all reason in such books as Sidney's *Arcadia*, which is closely modelled on the Greek.

The picaresque novel was improved by Defoe (*Captain Singleton*, &c.) and Le Sage (especially *Gil Blas*), and led to the novels of Smollett and Fielding, and ultimately to *The Pickwick Papers* and *The Good Companions*.

In conclusion, it must be remarked that the work of Petronius is free from the gravest defect of the ancient novel—weakness of character-drawing. Nothing can be more admirable than the way in which Petronius makes his personages reveal their character as they live and move before us; even the subordinate characters are no mere puppets, but have distinct individuality. The flippant youth Giton, the pompous Habinnas, the pessimist Ganymedes, the two gossiping wives, the quarrelsome Hermeros, the supercilious 'atriensis', the vain rhetor Agamemnon, the proud father Echion, are each sketched in, sometimes slightly, but always surely and firmly; the touch of a master is recognizable throughout. The only banquet in literature comparable with it in vivid realism is that in the *Peau de Chagrin*, by the greatest of realists, but even this must yield the palm to Petronius. In ancient literature Petronius' realism stands alone, though the newly discovered 'mimes' of Herondas show that realism was not unknown to the ancient world ; but Herondas lacks the saving grace of humour.

§ 5.

The Latinity of the 'Cena'.

A foreigner coming to live in England would soon notice that English is not one but many languages, which may be divided somewhat as follows, beginning with the highest. [*Poetical* English is omitted as being quite artificial.]

1. The *Literary* language of the great classics. (Gibbon, Macaulay, &c.)

2. The ordinary *Standard* English of everyday literary usage (e. g. in good novels and journals).

3. The *polished conversational* style of the educated.

4. The *colloquial* style of the educated.

5. The *slang* of the less highly educated.

6. The *vulgarisms* in pronunciation and grammar of the uneducated.

7. The genuine *old dialects* of country people.

8. Various *peculiarities* of groups : e. g. ' Journalese ', the language of the workshop, of the 'smart set', 'American' English, Colonial English, soldiers' and schoolboys' English, &c.

Obviously these divisions must have been represented in Latin, but as nearly all our Latin is 'literary', we cannot trace the subdivisions as accurately as in a modern language. Still three grades are clearly traceable.

1. *Literary* Latin : best represented by Cicero's *Speeches* and literary works, and Caesar's *Gallic* and *Civil Wars*. [Of the other great writers, Sallust is archaic and affected, Livy poetical, Tacitus (like Carlyle) quite abnormal.]

B

2. *Colloquial* Latin of good society (sermo cottidianus):
best represented by Cicero's letters, and Horace's Satires
and Epistles. This is called 'Sermo Urbanus' or 'cottidianus', and varied from time to time. [The Comedy of
Plautus and Terence will come under this head, but belongs
to the 'archaic' period.]

3. *Sermo plebeius*, 'Vulgar' Latin, including 'sermo
rusticus' (provincialisms) and 'sermo militaris', &c.

The importance of Vulgar Latin is that it was spread over
the whole Latin-speaking world, while Classical Latin is the
elaborately polished literary language of a select few. Con-
sequently it is in Vulgar Latin, which formed part and parcel
of the inheritance of the Roman people, that we find the
origin of the modern 'Romance' languages (Spanish, French,
Italian, Roumanian, &c.).

The language of Encolpius and his friends is the ordinary
non-literary Latin of the time, and so comes under (2).
The Language of Trimalchio's Circle comes under (3) with
peculiarities of its own. As the scene is Campania there
are Campanian peculiarities, and as the town is described
as Greek we find an extraordinary number of Greek words,
though Greek words are common enough in all Vulgar
Latin.

Apart from Petronius we gain much knowledge of the
vulgar language of a Campanian town from the 'Graffiti' of
Pompeii, that is, writings scratched or painted on the walls
excavated there. These illustrate not only the language
but the life of the district, but are not so useful as Petronius
for the inner life and thought.

It will be convenient to collect the most characteristic
features of Vulgar Latin as found in the 'Cena Trimalchionis'. (The most striking are commented on in the
notes.)

I. Pronunciation. (*a*) *A syllable is often dropped (syn-*

cope): bublum (-ulum), offla (-ula), peduclum (-culum), ridiclei (-culi), caldus (-idus), calfactus (cale-), lamna (-ina). Cf. 57. 8 n.

(*b*) *Syllable inserted*: Fericulus (ferculum), Proculus (38. 16 n.), gingilipho (if = γιγγλίσμῳ), nomenculator.

(*c*) Greek ζ becomes *s* or *ss*: e. g. verbs in -*sso* (-ζω), 62. 14 n.; cf. obrussa, saplutus. ~~but zacritus.~~

(*d*) Note also: susum, istoc (istuc), credrae, culcitra, cardelis, clusus, plodo, copo, coda, retroversus, percolopo, tricenties, phaleratus, martiolus, soleum, corintheus, tisicus, dupundii, plovebat; 29. 3 n.

II. Vocabulary. (*a*) 'Hybrid' forms (mixture of Latin and Greek): excatarisso, percolopo, oclopecta, apoculo, bilychnis, (exinteratus?).

(*b*) Adverbs; in -tim, (44. 18 n.) urceatim, ubertim; largiter = largē.

(*c*) Verbs compounded with prepositions: ad-cognosco, re-corrigo, ex-opinisso.

(*d*) Adjectives (i) in -ax: nugax, abstinax.

    (ii) in -osus (-ossus): sucosus, inspeciosus, dignitosus, aerumnosus, calcitrosus, imperiosus, lacticulosus, linguosus.

    (iii) in -atus: bonatus, expudoratus (prasinatus, phaleratus).

    (iv) in -arius: oracularius, micarius, dupunduarius.

    (v) in -bundus; cantabundus.

    (vi) in -ivos; absentivos.

    (vii) in -ĭcius (generic from another adj.): empticius (Saturnalicius in Apoc.). In -ĭcius (from nouns): lanisticius.

(*e*) Nouns (i) in -monium: tristimonium, gaudimonium.

    (ii) in -o: Incubo, Cerdo, Felicio, baro, cicaro (?).

(*f*) Diminutives: cantūrio; audaculus (63. 5 n.), manuciolus, ossucula, lamellula, lacticulosus, comula, corcillum arietilli, sportella, porcellus, homuncio (three in one sentence, 38. 3).

(*g*) Jingles : Mero meridie, olim oliorum, &c.

(*h*) Compounds : caldicerebrius, serisapia, plusscius, nesapius, domusio, benemoria, fulcipedia.

(*i*) Asyndeton (omission of conjunctions): sicca sobria, velit nolit, plus minus.

(*j*) Repeated words: modo modo, vero vero, voca voca, 49. 4; cave cave (so H), 29. 1; double negative, 42. 7 n.

(*k*) Ellipses : see notes, e. g. 45. 6, 45. 9, 58. 8.

(*l*) 'Que', only (in sermo plebeius) at 64. 7. 'Atque' only at 59. 2 (where this edition adopts the correction 'aeque') and in the phrase 'aeque ac' (42. 7). Ille is very freely used, e. g. 48. 8.   Et = atqui, 34. 7, 64. 2, 77. 5.

III. Accidence. *Nouns.* 1st decl. fem. for neut. pl. (or Greek neut. sing. in -*a*) intestina, schema, stigma, triclinia ; for Greek acc. sing. : placenta, statera, gastra v. 45. 9 n.

2nd decl. m. for neut. : balneus, caelus, candelabrus, amphitheater, fatus, fericulus, lorus, vasus (= vas, n.) vinus.

2nd decl. for 3rd : palumbus, vasum.

2nd decl. for 4th : cornum, gustus, -i.

2nd decl. n. for m : thesaurum, librum.

2nd (or 3rd) decl. for 1st : quisquilia.

3rd decl. : Iovis, bovis (nom. sing.) lactem, lacte: excellente, sanguen, diibus, volpis. (Cf. Phileronem, Niceronem, Apelletem.)

Adjectives. 2nd decl. for 3rd : pauperorum, strabonus.

Adverbs ; dispare (= -iter ?), largiter.

Pronouns.   qui = quis (?), 58. 8, 62. 8 ; ipsimus.

Verbs.   Act. for dep. : loquo, arguto, amplexo, convivo, exhorto, naufrago.

dep. for act. : delector, fastidior, rideor, pudetur, somnior.

conjugation : olunt, defraudit, vetuo, parsero, vinciturus, fefellitus, domatus, faciatur, erudibam.

IV. Syntax. A. *Noun.*

1. Acc. of indirect obj. after admissus. [This may be classed with (5) below.]

The following also take acc.: boni facio, 42. 7 n., maledico, fruniscor, persuadeo, obliviscor.

2. Dat. after adjuto.

3. Confusion between 'place where' and 'motion to' (30. 3 n.): e.g. foris for foras: 'in' with acc. and abl. confused: cf. Capuae (loc.) exire, 62. 1 n.

4. Prae with accus.

5. Omission of *preposition.* Africam ire, 48. 3.

B. *Pronoun*: ille for reflexive, 38. 4. de suo sibi, 66. 2 n. sibi for ei, 43. 1. quid for aliquid, 45. 5. ille for is, 43. 4, 48. 8, 46. 4, &c., as in Romance languages.

C. *Adverbs* with verb 'to be': bene, suaviter esse: tam fui quam vos estis, 75. 8. Cf. 27. 2 n., 34. 10 n.

D. *Verb.* 1. non for ne; 71. 7 n.

2. quia and quod-clause for acc. and inf., 45. 10 n.

3. Infin. as noun: meum intellegere, 52. 3 n.

4. Transitive use of intrans. verb: effluo, ebullio.

5. Most important is the use of 'parataxis' of which the following cases are typical: (see notes) spero sic moriar, 57. 6; suadeo cenemus, 35. 7 (cf. 74. 15); curabo Iovis tibi iratus sit, 58. 2; rogo, me putatis, 39. 3 n.; cf. declamasti 48. 4; credo dixerit, 52. 10.

6. Extensive use of 'modal' verbs, e.g. coepi, volo.

7. Subjunctive for indic., 46. 5 (sit), 71. 1.

§ 6.

Scene and Dramatic Date.

Most discussions of these questions proceed as if the story were the historical record of actual facts, which must have happened at a definite time and place. Remembering that we are dealing with a novel, we shall hardly care to press too far the minute indications of the text. For instance, if in chapter 65 a character says, 'I thought it was the praetor', we need not conclude that the scene cannot be a place which had no praetors. (Suppose, in an English novel, we found the words 'I thought it must be the Lord Mayor!') See editors on Hor. Sat. 1. 5. 34.

Cumae is suggested by Mommsen as the scene: it was a Greek town (81), a Roman Colony (44)—so not Naples, had praetors (65), was near Baiae and Capua (53, 62). No other Campanian town suits these conditions. But 48. 8 shows it was *not* Cumae, unless we cut out 'Cumis' as a gloss. If it is not Cumae, perhaps Pompeii might do, in spite of the praetors. Friedländer suggests Puteoli.

With regard to the date, the emperor is 'pater patriae' (so *not* Tiberius); if Trimalchio's agnomen Maecenatianus implies that he had once belonged to the famous Maecenas, who died 8 B. C., we get an indication of date. Trimalchio came to Italy aged about 10 (75. 7), and is now senex (27. 1), but hopes to live thirty years more (77. 2). This would give a date under Claudius (or Nero?). (The story of chapter 51 shows it is later than Tiberius: see note.)

If we say the scene was in Campania, and the date about A. D. 40 to 50, we get as near as we have reason to expect. We must not press the evidence too closely.

§ 7.

Books to Consult.

1. The standard work is Friedländer's *Roman Life and Manners*, which may now be had in English. (4 vols.)

2. Becker's *Gallus* is dry and inaccurate, but comprehensive and accessible. (He founds G's banquet on Trimalchio's, not apparently realizing that T's is intended to represent the worst possible taste.)

3. Mau's *Pompeii* gives an accurate account of the externals of Roman life, and is in most public libraries.

4. Lecky's *European Morals* contains much valuable information in a readable style.

5. A collection of 'graffiti' is interesting to compare with the 'Cena'; a cheap one is in Lietzmann's *Kleine Texte*. (One might also compare a handbook of Greek papyri.)

6. For beginners, Farrar's novel *Darkness and Dawn* is more accurate than the *Last Days of Pompeii*, and perhaps more within their comprehension. By older boys *Quo Vadis* could be read. (Farrar's *Seekers after God* is simple and readable, and gives much information.)

7. There are good books on Roman Life by Dill, Tucker, F. Abbott, Warde Fowler, &c.

8. Editions of Juvenal and Martial (and to a less degree of Horace and Tacitus) supply valuable illustrations of Petronius. Persius, Suetonius, and above all Seneca, if at hand, are full of parallels.

9. The concluding chapters of Bury's *Early Roman Empire* are useful and concise.

10. *The Legacy of Rome* has useful and simple remarks on Vulgar Latin.

PETRONII CENA TRIMALCHIONIS

Venerat iam tertius dies, id est expectatio liberae 7
cenae, sed tot vulneribus confossis fuga magis place-
bat, quam quies. itaque cum maesti deliberaremus,
quonam genere praesentem evitaremus procellam, unus 8
servus Agamemnonis interpellavit trepidantes et 'quid
vos?' inquit 'nescitis, hodie apud quem fiat? Trimal- 9
chio, lautissimus homo, horologium in triclinio et buci-
natorem habet subornatum, ut subinde sciat, quantum
de vita perdiderit.' amicimur ergo diligenter obliti 10
omnium malorum, et Gitona libentissime servile officium
tuentem usque hoc iubemus in balneum sequi. nos 27
interim vestiti errare coepimus . . . immo iocari magis
et circulis [ludentem] accedere, cum subito videmus
senem calvum, tunica vestitum russea, inter pueros
capillatos ludentem pila. nec tam pueri nos, quam- 2
quam erat operae pretium, ad spectaculum duxerant,
quam ipse pater familiae, qui soleatus pila prasina
exercebatur. nec amplius eam repetebat quae terram 3
contigerat, sed follem plenum habebat servus, sufficie-
batque ludentibus. cum has ergo miraremur lautitias, 4
accurrit Menelaus et ' hic est ' inquit ' apud quem cubitum ponitis, et quidem iam principium cenae videtis '.
et iam non loquebatur Menelaus, cum Trimalchio 5
digitos concrepuit; aquam poposcit ad manus, digitos- 6
que paululum adspersos in capite pueri tersit.

28 longum erat singula excipere. itaque intravimus
balneum, et sudore calfacti momento temporis ad
2 frigidam eximus. iam Trimalchio unguento perfusus
tergebatur, non linteis, sed palliis ex lana mollissima
3 factis. tres interim iatraliptae in conspectu eius Falernum potabant, et cum plurimum rixantes effunderent,
4 Trimalchio hoc suum propin esse dicebat. hinc involutus coccina gausapa lecticae impositus est praece-
dentibus phaleratis cursoribus quattuor et chiramaxio,
in quo deliciae eius vehebantur, puer vetulus, lippus,
5 domino Trimalchione deformior. cum ergo auferretur,
ad caput eius symphoniacus cum minimis tibiis accessit
et tanquam in aurem aliquid secreto diceret, toto itinere
cantavit.

6 sequimur nos admiratione iam saturi et cum Aga-
memnone ad ianuam pervenimus, in cuius poste libellus
7 erat cum hac inscriptione fixus: 'quisquis servus sine
dominico iussu foras exierit, accipiet plagas centum.'
8 in aditu autem ipso stabat ostiarius prasinatus, cera-
sino succinctus cingulo, atque in lance argentea pisum
9 purgabat. super limen autem cavea pendebat aurea,
29 in qua pica varia intrantes salutabat. ceterum ego
dum omnia stupeo, paene resupinatus crura mea fregi.
ad sinistram enim intrantibus non longe ab ostiarii
cella canis ingens, catena vinctus, in pariete erat pictus,
2 superque quadrata littera scriptum 'cave canem'. et
collegae quidem mei riserunt, ego autem collecto
3 spiritu non destiti totum parietem persequi. erat
autem venalicium *cum* titulis pictum, et ipse Trimalchio
capillatus caduceum tenebat Minervaque ducente Ro-
4 mam intrabat. hinc quemadmodum ratiocinari didicisset, deinque dispensator factus esset, omnia diligenter

curiosus pictor cum inscriptione reddiderat. in defi- 5
ciente vero iam porticu levatum mento in tribunal
excelsum Mercurius rapiebat. praesto erat Fortuna 6
cornu abundanti copiosa, et tres Parcae aurea pensa
torquentes. notavi etiam in porticu gregem cursorum 7
cum magistro se exercentem. praeterea grande arma- 8
rium in angulo vidi, in cuius aedicula erant Lares
argentei positi, Venerisque signum marmoreum et
pyxis aurea non pusilla, in qua barbam ipsius con-
ditam esse dicebant.

interrogare ergo atriensem coepi, quas in medio 9
picturas haberent. ' Iliada et Odyssian ' inquit ' ac
Laenatis gladiatorium munus '. . . .

nos iam ad triclinium perveneramus, in cuius parte 30
prima procurator rationes accipiebat. et quod praecipue miratus sum, in postibus triclinii fasces erant
cum securibus fixi, quorum imam partem quasi embo-
lum navis aeneum finiebat, in quo erat scriptum:
' C. Pompeio Trimalchioni, seviro Augustali, Cinnamus 2
dispensator.' sub eodem titulo et lucerna bilychnis 3
de camera pendebat, et duae tabulae in utroque poste
defixae, quarum altera, si bene memini, hoc habebat
inscriptum : ' III. et pridie kalendas Ianuarias C. noster
foras cenat ', altera lunae cursum stellarumque septem 4
imagines pictas ; et qui dies boni quique incommodi
essent, distinguente bulla notabantur.

his repleti voluptatibus cum conaremur in triclinium 5
intrare, exclamavit unus ex pueris, qui super hoc
officium erat positus : ' dextro pede.' sine dubio 6
paulisper trepidavimus, ne contra praeceptum aliquis
nostrum limen transiret. ceterum ut pariter movimus 7
dextros gressus, servus nobis despoliatus procubuit ad

pedes ac rogare coepit, ut se poenae eriperemus : nec
magnum esse peccatum suum, propter quod pericli-
8 taretur ; subducta enim sibi vestimenta dispensatoris
9 in balneo, quae vix fuissent decem sestertiorum. ret-
tulimus ergo dextros pedes dispensatoremque in oecario
aureos numerantem deprecati sumus, ut servo remit-
10 teret poenam. superbus ille sustulit vultum et ' non
tam iactura me movet ' inquit ' quam neglegentia ne-
11 quissimi servi. vestimenta mea cubitoria perdidit,
quae mihi natali meo cliens quidam donaverat, Tyria
sine dubio, sed iam semel lota. quid ergo est ? dono
vobis eum.'

31   obligati tam grandi beneficio cum intrassemus triclinium, occurrit nobis ille idem servus, pro quo ro-
gaveramus, et stupentibus spississima basia impegit,
2 gratias agens humanitati nostrae. ' ad summam, statim
scietis ' ait ' cui dederitis beneficium. vinum dominicum
ministratoris gratia est.'

3   tandem ergo discubuimus pueris Alexandrinis aquam
in manus nivatam infundentibus aliisque insequentibus
ad pedes ac paronychia cum ingenti subtilitate tol-
4 lentibus. ac ne in hoc quidem tam molesto tacebant
5 officio, sed obiter cantabant. ego experiri volui, an
6 tota familia cantaret, itaque potionem poposci. para-
tissimus puer non minus me acido cantico excepit, et
7 quisquis aliquid rogatus erat ut daret. pantomimi
8 chorum, non patris familiae triclinium crederes. allata
est tamen gustatio valde lauta ; nam iam omnes discu-
buerant praeter unum Trimalchionem, cui locus novo
9 more primus servabatur. ceterum in promulsidari
asellus erat Corinthius cum bisaccio positus, qui
habebat olivas in altera parte albas, in altera nigras.

tegebant asellum duae lances, in quarum marginibus 10
nomen Trimalchionis inscriptum erat et argenti pondus. ponticuli etiam feruminati sustinebant glires
melle ac papavere sparsos. fuerunt et tomacula supra 11
craticulam argenteam ferventia posita, et infra craticulam Syriaca pruna cum granis Punici mali.

in his eramus lautitiis, cum ipse Trimalchio ad 32
symphoniam allatus est positusque inter cervicalia
munitissima expressit imprudentibus risum. pallio 2
enim coccineo adrasum excluserat caput, circaque
oneratas veste cervices laticlaviam immiserat mappam
fimbriis hinc atque illinc pendentibus. habebat etiam 3
in minimo digito sinistrae manus anulum grandem
subauratum, extremo vero articulo digiti sequentis
minorem, ut mihi videbatur, totum aureum, sed plane
ferreis veluti stellis feruminatum. et ne has tantum 4
ostenderet divitias, dextrum nudavit lacertum armilla
aurea cultum et eboreo circulo lamina splendente
conexo. ut deinde pinna argentea dentes perfodit, 33
'amici' inquit 'nondum mihi suave erat in triclinium
venire, sed ne diutius absentivos morae vobis essem,
omnem voluptatem mihi negavi. permittetis tamen
finiri lusum.' sequebatur puer cum tabula terebin- 2
thina et crystallinis tesseris, notavique rem omnium
delicatissimam. pro calculis enim albis ac nigris
aureos argenteosque habebat denarios. interim dum 3
ille omnium textorum dicta inter lusum consumit,
gustantibus adhuc nobis repositorium allatum est cum
corbe, in quo gallina erat lignea patentibus in orbem
alis, quales esse solent quae incubant ova. accessere 4
continuo duo servi et symphonia strepente scrutari
paleam coeperunt, erutaque subinde pavonina ova

5 divisere convivis. convertit ad hanc scaenam Trimalchio vultum, et 'amici', ait, 'pavonis ova gallinae iussi
supponi. et mehercules timeo ne iam concepti sint;
6 temptemus tamen, si adhuc sorbilia sunt.' accipimus
nos coclearia non minus selibras pendentia, ovaque ex
7 farina pingui figurata pertundimus. ego quidem paene
proieci partem meam, nam videbatur mihi iam in
8 pullum coisse. deinde ut audivi veterem convivam:
'hic nescio quid boni debet esse', persecutus putamen
manu, pinguissimam ficedulam inveni, piperato vitello
circumdatam.

34   iam Trimalchio eadem omnia, lusu intermisso, popo-
scerat feceratque potestatem clara voce, si quis nostrum
iterum vellet mulsum sumere, cum subito signum symphonia datur et gustatoria pariter a choro cantante
2 rapiuntur. ceterum inter tumultum cum forte paropsis
excidisset et puer iacentem sustulisset, animadvertit
Trimalchio, colaphisque obiurgari puerum ac proicere
3 rursus paropsidem iussit. insecutus est lecticarius,
argentumque inter reliqua purgamenta scopis coepit
4 everrere. subinde intraverunt duo Aethiopes capillati
cum pusillis utribus, quales solent esse qui harenam in
amphitheatro spargunt, vinumque dedere in manus;
aquam enim nemo porrexit.
5   laudatus propter elegantias dominus 'aequum' inquit 'Mars amat. itaque iussi suam cuique mensam
assignari. obiter et putidissimi servi minorem nobis
aestum frequentia sua facient.'
6   statim allatae sunt amphorae vitreae diligenter gypsatae, quarum in cervicibus pittacia erant affixa cum
hoc titulo: 'Falernum Opimianum annorum centum.'
7 dum titulos perlegimus, complosit Trimalchio manus

et 'eheu' inquit 'ergo diutius vivit vinum quam homuncio. quare tangomenas faciamus. vita vinum est. verum Opimianum praesto. heri non tam bonum posui, et multo honestiores cenabant.' potantibus ergo 8 nobis et accuratissime lautitias mirantibus laruam argenteam attulit servus sic aptatam, ut articuli eius vertebraeque luxatae in omnem partem flecterentur. hanc cum super mensam semel iterumque abiecisset, 9 ut catenatio mobilis aliquot figuras exprimeret, Trimalchio adiecit:

'eheu nos miseros, quam totus homuncio nil est! 10
sic erimus cuncti, postquam nos auferet Orcus.
ergo vivamus, dum licet esse bene.'

laudationem ferculum est insecutum plane non pro 35 expectatione magnum; novitas tamen omnium convertit oculos. rotundum enim repositorium duodecim 2 habebat signa in orbe disposita, super quae proprium convenientemque materiae structor imposuerat cibum: super arietem cicer arietinum, super taurum bubulae 3 frustum, super geminos rienes, super cancrum coronam, super leonem ficum Africanam, super virginem steriliculam, super libram stateram in cuius altera parte 4 scriblita erat, in altera placenta, super scorpionem pisciculum marinum, super sagittarium oclopectam, super capricornum locustam marinam, super aquarium anserem, super pisces duos mullos. in medio autem 5 caespes cum herbis excisus favum sustinebat. circum- 6 ferebat Aegyptius puer clibano argenteo panem . . . atque ipse etiam taeterrima voce de Laserpiciario mimo canticum extorsit. nos ut tristiores ad tam viles 7 accessimus cibos, 'suadeo' inquit Trimalchio 'cenemus; hoc est ius cenae.' haec ut dixit, ad sympho- 36

niam quattuor tripudiantes procurrerunt, superioremque
2 partem repositorii abstulerunt. quo facto videmus infra
[scilicet in altero ferculo] altilia et sumina, leporemque
in medio pinnis subornatum, ut Pegasus videretur.
3 notavimus etiam circa angulos repositorii Marsyas
quattuor, ex quorum utriculis garum piperatum curre-
bat super pisces, qui tanquam in euripo natabant.
4 damus omnes plausum a familia inceptum et res
5 electissimas ridentes aggredimur. non minus et Trimalchio eiusmodi methodio laetus ' Carpe ' inquit.
6 processit statim scissor et ad symphoniam gesticulatus
ita laceravit obsonium, ut putares essedarium hydraule
7 cantante pugnare. ingerebat nihilo minus Trimalchio
lentissima voce : ' Carpe, Carpe.' ego suspicatus ad
aliquam urbanitatem totiens iteratam vocem pertinere,
non erubui eum qui supra me accumbebat, hoc ipsum
8 interrogare. at ille, qui saepius eiusmodi ludos specta-
verat, ' vides illum ' inquit ' qui obsonium carpit :
Carpus vocatur. ita quotiescunque dicit " Carpe ",
eodem verbo et vocat et imperat.'

37   non potui amplius quicquam gustare, sed conversus
ad eum, ut quam plurima exciperem, longe accersere
fabulas coepi sciscitarique, quae esset mulier illa, quae
2 huc atque illuc discurreret, ' uxor ' inquit ' Trimalchionis, Fortunata appellatur, quae nummos modio
3 metitur. et modo, modo quid fuit ? ignoscet mihi
genius tuus, noluisses de manu illius panem accipere.
4 nunc, nec quid nec quare, in caelum abiit et Trimal-
5 chionis topanta est. ad summam, mero meridie si
6 dixerit illi tenebras esse, credet. ipse nescit quid
habeat, adeo saplutus est ; sed haec lupatria providet
7 omnia et ubi non putes. est sicca, sobria, bonorum

CUP WITH SKELETONS FROM THE BOSCO REALE TREASURE
34. 8 n.   Cf. Hdt. 2. 78

consiliorum; tantum auri vides, est tamen malae
linguae, pica pulvinaris. quem amat, amat; quem
non amat, non amat. ipse Trimalchio fundos habet, 8
qua milvi volant, nummorum nummos. argentum in
ostiarii illius cella plus iacet, quam quisquam in fortunis habet. familia vero babae babae, non meher- 9
cules puto decumam partem esse quae dominum suum
noverit. ad summam, quemvis ex istis babaecalis in 10
rutae folium coniciet. nec est quod putes illum quic- 38
quam emere. omnia domi nascuntur: lana, credrae,
piper, lacte gallinaceum si quaesieris, invenies. ad 2
summam, parum illi bona lana nascebatur; arietes a
Tarento emit, et eos culavit in gregem. mel Atticum 3
ut domi nasceretur, apes ab Athenis iussit afferri;
obiter et vernaculae quae sunt, meliusculae a Graeculis
fient. ecce intra hos dies scripsit, ut illi ex India 4
semen boletorum mitteretur. nam mulam quidem
nullam habet, quae non ex onagro nata sit. vides tot 5
culcitras: nulla non aut conchyliatum aut coccineum
tomentum habet. tanta est animi beatitudo. reliquos 6
autem collibertos eius cave contemnas. valde sucossi
sunt. vides illum qui in imo imus recumbit: hodie 7
sua octingenta possidet. de nihilo crevit. modo
solebat collo suo ligna portare. sed quomodo dicunt 8
—ego nihil scio, sed audivi—quom Incuboni pilleum
rapuisset, [et] thesaurum invenit. ego nemini invideo, 9
si quid deus dedit. est tamen sub alapa et non vult
sibi male. itaque proxime oecum hoc titulo proscripsit: 10
' C. Pompeius Diogenes ex kalendis Iuliis cenaculum
locat; ipse enim domum emit.' quid ille qui libertini 11
loco iacet, quam bene se habuit. non impropero illi.
sestertium suum vidit decies, sed male vacillavit. non 12

puto illum capillos liberos habere, nec mehercules sua
culpa; ipso enim homo melior non est; sed liberti
13 scelerati, qui omnia ad se fecerunt. scito autem:
sociorum olla male fervet, et ubi semel res inclinata
14 est, amici de medio. et quam honestam negotiationem
15 exercuit, quod illum sic vides. libitinarius fuit. solebat sic cenare, quomodo rex: apros gausapatos, opera
pistoria, avis, cocos, pistores. plus vini sub mensa
effundebatur, quam aliquis in cella habet. phantasia,
16 non homo. inclinatis quoque rebus suis, cum timeret
ne creditores illum conturbare existimarent, hoc titulo
auctionem proscripsit: ' *C.* Iulius Proculus auctionem
faciet rerum supervacuarum.'

39   interpellavit tam dulces fabulas Trimalchio; nam
iam sublatum erat ferculum, hilaresque convivae vino
2 sermonibusque publicatis operam coeperant dare. is
ergo reclinatus in cubitum 'hoc vinum' inquit 'vos
3 oportet suave faciatis. pisces natare oportet. rogo,
me putatis illa cena esse contentum, quam in theca
repositorii videratis? "sic notus Vlixes?" quid ergo
est? oportet etiam inter cenandum philologiam nosse.
4 patrono meo ossa bene quiescant, qui me hominem
inter homines voluit esse. nam mihi nihil novi potest
5 afferri, sicut ille fericulus iam habuit praxim. caelus
hic, in quo duodecim dii habitant, in totidem se figuras
convertit, et modo fit aries. itaque quisquis nascitur
illo signo, multa pecora habet, multum lanae, caput
praeterea durum, frontem expudoratam, cornum acu-
tum. plurimi hoc signo scholastici nascuntur et arie-
6 tilli.' laudamus urbanitatem mathematici; itaque
adiecit: 'deinde totus caelus taurulus fit. itaque tunc
calcitrosi nascuntur et bubulci et qui se ipsi pascunt.

in geminis autem nascuntur bigae et boves et qui 7
utrosque parietes linunt. in cancro ego natus sum. 8
ideo multis pedibus sto, et in mari et in terra multa
possideo ; nam cancer et hoc et illoc quadrat. et ideo
iam dudum nihil super illum posui, ne genesim meam
premerem. in leone cataphagae nascuntur et impe- 9
riosi ; in virgine mulieres et fugitivi et compediti ; in 10
libra laniones et unguentarii et quicunque aliquid
expediunt ; in scorpione venenarii et percussores ; in 11
sagittario strabones, qui holera spectant, lardum tol-
lunt ; in capricorno aerumnosi, quibus prae mala sua 12
cornua nascuntur ; in aquario copones et cucurbitae ;
in piscibus obsonatores et rhetores. sic orbis vertitur 13
tanquam mola, et semper aliquid mali facit, ut homines
aut nascantur aut pereant. quod autem in medio 14
caespitem videtis et supra caespitem favum, nihil sine
ratione facio. terra mater est in medio quasi ovum 15
corrotundata, et omnia bona in se habet tanquam
favus.'

' sophos' universi clamamus, et sublatis manibus ad **40**
cameram, iuramus Hipparchum Aratumque comparan-
dos illi homines non fuisse, donec advenerunt ministri
ac toralia praeposuerunt toris, in quibus retia erant
picta subsessoresque cum venabulis et totus venationis
apparatus. necdum sciebamus, *quo* mitteremus sus- 2
piciones nostras, cum extra triclinium clamor sublatus
est ingens, et ecce canes Laconici etiam circa mensam
discurrere coeperunt. secutum est hos repositorium, in 3
quo positus erat primae magnitudinis aper, et quidem
pilleatus, e cuius dentibus sportellae dependebant duae
palmulis textae, altera caryotis altera thebaicis repleta.
circa autem minores porcelli ex coptoplacentis facti, 4

quasi uberibus imminerent, scrofam esse positam signi-
5 ficabant. et hi quidem apophoreti fuerunt. ceterum
ad scindendum aprum non ille Carpus accessit, qui
altilia laceraverat, sed barbatus ingens, fasciis cruralibus alligatus et alicula subornatus polymita, strictoque
venatorio cultro latus apri vehementer percussit, ex
6 cuius plaga turdi evolaverunt. parati aucupes cum
harundinibus fuerunt et eos circa triclinium volitantes
7 momento exceperunt. inde cum suum cuique iussisset
referri Trimalchio, adiecit : ' etiam videte, quam porcus
8 ille silvaticus lotam comederit glandem.' statim pueri
ad sportellas accesserunt, quae pendebant e dentibus,
thebaicasque et caryotas ad numerum divisere cenanti-
41 bus. interim ego, qui privatum habebam secessum, in
multas cogitationes diductus sum, quare aper pilleatus
2 intrasset. postquam itaque omnis bacalusias con-
sumpsi, duravi interrogare illum interpretem meum,
3 quod me torqueret. at ille : ' plane etiam hoc servus
tuus indicare potest ; non enim aenigma est, sed res
4 aperta. hic aper, cum heri summa cena eum vindicasset, a convivis dimissus *est* ; itaque hodie tanquam
5 libertus in convivium revertitur.' damnavi ego stu-
porem meum et nihil amplius interrogavi, ne viderer
nunquam inter honestos cenasse.
6   dum haec loquimur, puer speciosus, vitibus hederis-
que redimitus, modo Bromium, interdum Lyaeum
Euhiumque confessus, calathisco uvas circumtulit et
7 poemata domini sui acutissima voce traduxit. ad quem
sonum conversus Trimalchio 'Dionyse' inquit 'Liber
esto '. puer detraxit pilleum apro capitique suo im-
8 posuit. tum Trimalchio rursus adiecit : ' non negabitis
me ' inquit 'habere Liberum patrem.' laudavimus

dictum Trimalchionis et circumeuntem puerum sane perbasiamus.

ab hoc ferculo Trimalchio surrexit. nos libertatem 9 sine tyranno nacti, coepimus invitare convivarum sermones. Dama itaque primus, cum pataracina popo- 10 scisset, 'dies' inquit 'nihil est. dum versas te, nox fit. itaque nihil est melius, quam de cubiculo recta in triclinium ire. et mundum frigus habuimus. vix me 11 balneus calfecit. tamen calda potio vestiarius est. staminatas duxi, et plane matus sum. vinus mihi in 12 cerebrum abiit.'

excepit Seleucus fabulae partem et 'ego' inquit 42 'non cotidie lavor; balsicus enim fullo est, aqua dentes 2 habet, et cor nostrum cotidie liquescit. sed cum mulsi pultarium obduxi, frigori laecasin dico. nec sane lavare potui; fui enim hodie in funus. homo bellus, tam bonus Chrysanthus animam ebulliit. modo, modo me 3 appellavit. videor mihi cum illo loqui. heu, eheu. 4 utres inflati ambulamus. minoris quam muscae sumus, *muscae* tamen aliquam virtutem habent, nos non pluris sumus quam bullae. et quid si non abstinax fuisset? 5 quinque dies aquam in os suum non coniecit, non micam panis. tamen abiit ad plures. medici illum perdiderunt, immo magis malus fatus; medicus enim nihil aliud est quam animi consolatio. tamen bene 6 elatus est, vitali lecto, stragulis bonis. planctus est optime—manu misit aliquot—etiam si maligne illum ploravit uxor. quid si non illam optime accepisset. 7 sed mulier quae mulier milvinum genus. neminem nihil boni facere oportet; aeque est enim ac si in puteum conicias. sed antiquus amor cancer est.'

molestus fuit, Philerosque proclamavit: 'vivorum 43

meminerimus. ille habet, quod sibi debebatur: honeste vixit, honeste obiit.   quid habet quod queratur?
ab asse crevit et paratus fuit quadrantem de stercore
mordicus tollere. itaque crevit, quicquid crevit, tan-
2 quam favus. puto mehercules illum reliquisse solida
3 centum, et omnia in nummis habuit. de re tamen
ego verum dicam, qui linguam caninam comedi : durae
4 buccae fuit, linguosus, discordia, non homo. frater
eius fortis fuit, amicus amico, manu plena, uncta mensa.
et inter initia malam parram pilavit, sed recorrexit
costas illius prima vindemia : vendidit enim vinum,
quantum ipse voluit. et quod illius mentum sustulit,
hereditatem accepit, ex qua plus involavit, quam illi
5 relictum est. et ille stips, dum fratri suo irascitur,
nescio cui terrae filio patrimonium elegavit. longe
6 fugit, quisquis suos fugit. habuit autem oracularios
servos, qui illum pessum dederunt. nunquam autem
recte faciet, qui cito credit, utique homo negotians.
tamen verum quod frunitus est, quam diu vixit . . .
7 cui datum est, non cui destinatum. plane Fortunae
filius, in manu illius plumbum aurum fiebat. facile
est autem, ubi omnia quadrata currunt. et quot putas
illum annos secum tulisse? septuaginta et supra. sed
corneolus fuit, aetatem bene ferebat, niger tanquam
8 corvus. noveram hominem olim oliorum. immo etiam
pullarius erat, omnis minervae homo. nec improbo,
hoc solum enim secum tulit.'

44   haec Phileros dixit, illa Ganymedes : 'narratis quod
nec ad caelum nec ad terram pertinet, cum interim
2 nemo curat, quid annona mordet. non mehercules
hodie buccam panis invenire potui. et quomodo sic-
3 citas perseverat. iam annum esuritio fuit. aediles

male eveniat, qui cum pistoribus colludunt "serva me,
servabo te". itaque populus minutus laborat; nam
isti maiores maxillae semper Saturnalia agunt. o si 4
haberemus illos leones, quos ego hic inveni, cum
primum ex Asia veni. illud erat vivere. † similia 5
sicilia interiores † et laruas sic istos percolopabant, ut
illis Iuppiter iratus esset. [sed] memini Safinium : 6
tunc habitabat ad arcum veterem, me puero, piper,
non homo. is quacunque ibat, terram adurebat. sed 7
rectus, sed certus, amicus amico, cum quo audacter
posses in tenebris micare. in curia autem quomodo 8
singulos [vel] pilabat [tractabat], nec schemas loquebatur sed derectum. cum ageret porro in foro, sic illius 9
vox crescebat tanquam tuba. nec sudavit unquam
nec expuit, puto eum nescio quid Asiadis habuisse.
et quam benignus resalutare, nomina omnium reddere, 10
tanquam unus de nobis. itaque illo tempore annona
pro luto erat. asse panem quem emisses, non po- 11
tuisses cum altero devorare. nunc oculum bublum vidi 12
maiorem. heu heu, quotidie peius. haec colonia
retroversus crescit tanquam coda vituli. sed quare 13
nos habemus aedilem trium cauniarum, qui sibi mavult
assem quam vitam nostram? itaque domi gaudet, plus
in die nummorum accipit, quam alter patrimonium
habet. iam scio, unde acceperit denarios mille aureos.
sed si nos coleos haberemus, non tantum sibi placeret. 14
nunc populus est domi leones, foras vulpes. quod ad 15
me attinet, iam pannos meos comedi, et si perseverat
haec annona, casulas meas vendam. quid enim futurum 16
est, si nec dii nec homines huius coloniae miserentur?
ita meos fruniscar, ut ego puto omnia illa a diibus
fieri. nemo enim caelum caelum putat, nemo ieiunium 17

servat, nemo Iovem pili facit, sed omnes opertis oculis
18 bona sua computant. antea stolatae ibant nudis pedibus in clivum, passis capillis, mentibus puris, et Iovem
aquam exorabant. itaque statim urceatim plovebat:
aut tunc aut nunquam: et omnes redibant udi tanquam mures. itaque dii pedes lanatos habent, quia
nos religiosi non sumus. agri iacent—'
45 'oro te' inquit Echion centonarius 'melius loquere.
"modo sic, modo sic" inquit rusticus; varium porcum
2 perdiderat. quod hodie non est, cras erit: sic vita
3 truditur. non mehercules patria melior dici potest, si
homines haberet. sed laborat hoc tempore, nec haec
sola. non debemus delicati esse, ubique medius caelus
4 est. tu si alicubi fueris, dices hic porcos coctos ambu-
lare. et ecce habituri sumus munus excellente in triduo
5 die festa; familia non lanisticia, sed plurimi liberti. et
Titus noster magnum animum habet et est caldicerebrius: aut hoc aut illud erit, quid utique. nam illi
6 domesticus sum, non est mixcix. ferrum optimum
daturus est, sine fuga, carnarium in medio, ut amphitheater videat. et habet unde: relictum est illi sestertium tricenties, decessit illius pater male. ut quadringenta impendat, non sentiet patrimonium illius,
7 et sempiterno nominabitur. iam Manios aliquot habet
et mulierem essedariam et dispensatorem Glyconis,
qui deprehensus est, cum dominam suam delectaretur.
videbis populi rixam inter zelotypos et amasiunculos.
8 Glyco autem, sestertiarius homo, dispensatorem ad
bestias dedit. hoc est se ipsum traducere. quid
servus peccavit, qui coactus est facere? magis illa
matella digna fuit quam taurus iactaret. sed qui
9 asinum non potest, stratum caedit. quid autem Glyco

putabat Hermogenis filicem unquam bonum exitum
facturam? ille milvo volanti poterat ungues re-
secare; colubra restem non parit. Glyco, Glyco
dedit suas; itaque quamdiu vixerit, habebit stigmam,
nec illam nisi Orcus delebit. sed sibi quisque peccat. 10
sed subolfacio, quia nobis epulum daturus est
Mammea, binos denarios mihi et meis. quod si hoc
fecerit, eripiat Norbano totum favorem. scias oportet
plenis velis hunc vinciturum. et revera, quid ille nobis 11
boni fecit? dedit gladiatores sestertiarios iam decre-
pitos, quos si sufflasses, cecidissent; iam meliores
bestiarios vidi. occidit de lucerna equites, putares eos
gallos gallinaceos; alter burdubasta, alter loripes,
tertiarius mortuus pro mortuo, qui habebat nervia
praecisa. unus alicuius flaturae fuit Thraex, qui et 12
ipse ad dictata pugnavit. ad summam, omnes postea
secti sunt; adeo de magna turba "adhibete" acceperant,
plane fugae merae. "munus tamen" inquit "tibi 13
dedi": et ego tibi plodo. computa, et tibi plus do
quam accepi. manus manum lavat. videris mihi, **46**
Agamemnon, dicere: "quid iste argutat molestus?"
quia tu, qui potes loquere, non loquis. non es nostrae
fasciae, et ideo pauperorum verba derides. scimus te
prae litteras fatuum esse. quid ergo est? aliqua die te 2
persuadeam, ut ad villam venias et videas casulas
nostras? inveniemus quod manducemus, pullum, ova:
belle erit, etiam si omnia hoc anno tempestas † dispare
pallavit †: inveniemus ergo unde saturi fiamus. et iam
tibi discipulus crescit cicaro meus. iam quattuor partis 3
dicit; si vixerit, habebis ad latus servulum. nam
quicquid illi vacat, caput de tabula non tollit. ingeniosus est et bono filo, etiam si in aves morbosus

4 est. ego illi iam tres cardeles occidi, et dixi quia
mustella comedit. invenit tamen alias nenias, et liben-
5 tissime pingit. ceterum iam Graeculis calcem impingit
et Latinas coepit non male appetere, etiam si magister
eius sibi placens sit, nec uno loco consistit, sed venit,
6 dem litteras, sed non vult laborare. est et alter non
quidem doctus, sed curiosus, qui plus docet quam scit.
itaque feriatis diebus solet domum venire, et quicquid
7 dederis, contentus est. emi ergo nunc puero aliquot
libra rubricata, quia volo illum ad domusionem aliquid
de iure gustare. habet haec res panem. nam litteris
satis inquinatus est. quod si resilierit, destinavi illum
artificii docere, aut tonstreinum aut praeconem aut
certe causidicum, quod illi auferre non possit nisi
8 Orcus. ideo illi cotidie clamo : " Primigeni, crede
mihi, quicquid discis, tibi discis. vides Phileronem
causidicum : si non didicisset, hodie famem a labris
non abigeret. modo, modo collo suo circumferebat
onera venalia, nunc etiam adversus Norbanum se extendit. litterae thesaurum est, et artificium nunquam
moritur." '

47   eiusmodi fabulae vibrabant, cum Trimalchio intravit.
8 nec adhuc sciebamus nos in medio lautitiarum, quod
aiunt, clivo laborare. nam cum mundatis ad symphoniam mensis tres albi sues in triclinium adducti sunt
capistris et tintinnabulis culti, quorum unum bimum
nomenculator esse dicebat, alterum trimum, tertium
9 vero iam sexennem, ego putabam petauristarios in-
trasse, et porcos, sicut in circulis mos est, portenta
10 aliqua facturos ; sed Trimalchio expectatione discussa
' quem' inquit ' ex eis vultis in cenam statim fieri ?
gallum enim gallinaceum, penthiacum et eiusmodi

nenias rustici faciunt: mei coci etiam vitulos aeno
coctos solent facere.' continuoque cocum vocari 11
iussit, et non expectata electione nostra maximum
natu iussit occidi, et clara voce: 'ex quota decuria 12
es?' cum ille se ex quadragesima respondisset, 'emp-
ticius an' inquit 'domi natus?' 'neutrum' inquit cocus
'sed testamento Pansae tibi relictus sum.' 'vide 13
ergo' ait 'ut diligenter ponas; si non, te iubebo in
decuriam viatorum conici.' et cocum quidem potentiae 48
admonitum in culinam obsonium duxit, Trimalchio
autem miti ad nos vultu respexit et 'vinum' inquit 'si
non placet, mutabo; vos illud oportet bonum faciatis.
deorum beneficio non emo, sed nunc quicquid ad 2
salivam facit, in suburbano nascitur eo, quod ego
adhuc non novi. dicitur confine esse Tarraciniensibus
et Tarentinis. nunc coniungere agellis Siciliam volo, 3
ut cum Africam libuerit ire, per meos fines navigem.
sed narra tu mihi, Agamemnon, quam controversiam 4
hodie declamasti? ego etiam si causas non ago, in
domusionem tamen litteras didici. et ne me putes
studia fastiditum, III bybliothecas habeo, unam
Graecam, alteram Latinam. dic ergo, si me amas,
peristasim declamationis tuae.' cum dixisset Aga- 5
memnon: 'pauper et dives inimici erant', ait Trimalchio 'quid est pauper?' 'urbane' inquit Agamemnon et nescio quam controversiam exposuit.
statim Trimalchio 'hoc' inquit 'si factum est, contro- 6
versia non est; si factum non est, nihil est.' haec 7
aliaque cum effusissimis prosequeremur laudationibus,
'rogo' inquit 'Agamemnon mihi carissime, numquid
duodecim aerumnas Herculis tenes, aut de Vlixe
fabulam, quemadmodum illi Cyclops pollicem poricino

extorsit? solebam haec ego puer apud Homerum
8 legere. nam Sibyllam quidem Cumis ego ipse oculis
meis vidi in ampulla pendere, et cum illi pueri dicerent: Σίβυλλα, τί θέλεις; respondebat illa: ἀποθανεῖν
θέλω.'

49   nondum efflaverat omnia, cum repositorium cum
2 sue ingenti mensam occupavit. mirari nos celeritatem
coepimus et iurare, ne gallum quidem gallinaceum
3 tam cito percoqui potuisse, tanto quidem magis, quod
longe maior nobis porcus videbatur esse, quam paulo
ante aper fuerat. deinde magis magisque Trimalchio
4 intuens eum ' quid? quid?' inquit ' porcus hic non est
exinteratus? non mehercules est. voca, voca cocum
5 in medio.' cum constitisset ad mensam cocus tristis
et diceret se oblitum esse exinterare, 'quid? oblitus?'
Trimalchio exclamat ' putes illum piper et cuminum
6 non coniecisse. despolia.' non fit mora, despoliatur
cocus atque inter duos tortores maestus consistit. de-
precari tamen omnes coeperunt et dicere: 'solet fieri;
rogamus, mittas; postea si fecerit, nemo nostrum pro
7 illo rogabit.' ego, crudelissimae severitatis, non
potui me tenere, sed inclinatus ad aurem Agamemnonis ' plane' inquam ' hic debet servus esse nequissimus; aliquis oblivisceretur porcum exinterare? non
8 mehercules illi ignoscerem, si piscem praeterisset.' at
non Trimalchio, qui relaxato in hilaritatem vultu
'ergo' inquit 'quia tam malae memoriae es, palam
9 nobis illum exintera'. recepta cocus tunica cultrum
arripuit porcique ventrem hinc atque illinc timida
10 manu secuit. nec mora, ex plagis ponderis inclinatione
crescentibus tomacula cum botulis effusa sunt.

50   plausum post hoc automatum familia dedit et ' Gaio

feliciter' conclamavit. nec non cocus potione hono-
ratus est et argentea corona, poculumque in lance
accepit Corinthia. quam cum Agamemnon propius 2
consideraret, ait Trimalchio; 'solus sum qui vera
Corinthea habeam.' expectabam, ut pro reliqua 3
insolentia diceret sibi vasa Corintho afferri. sed ille 4
melius: 'et forsitan' inquit 'quaeris, quare solus
Corinthea vera possideam: quia scilicet aerarius, a
quo emo, Corinthus vocatur. quid est autem
Corintheum, nisi quis Corinthum habeat? et ne me 5
putetis nesapium esse, valde bene scio, unde primum
Corinthea nata sint. cum Ilium captum est, Hanni-
bal, homo vafer et magnus stelio, omnes statuas
aeneas et aureas et argenteas in unum rogum con-
gessit et eas incendit; factae sunt in unum aera
miscellanea. ita ex hac massa fabri sustulerunt et 6
fecerunt catilla et paropsides *et* statuncula. sic Corinthea nata sunt, ex omnibus in unum, nec hoc nec
illud. ignoscetis mihi, quid dixero: ego malo mihi 7
vitrea, certe non olunt. quod si non frangerentur,
mallem mihi quam aurum; nunc autem vilia sunt.
fuit tamen faber qui fecit phialam vitream, quae non 51
frangebatur. admissus ergo Caesarem est cum suo 2
munere, deinde fecit se porrigere Caesari et illam in
pavimentum proiecit. Caesar non pote valdius quam 3
expavit. at ille sustulit phialam de terra; collisa erat
tanquam vasum aeneum; deinde martiolum de sinu 4
protulit et phialam otio belle correxit. hoc facto 5
putabat se soleum Iovis tenere, utique postquam
Caesar illi dixit: "numquid alius scit hanc condituram
vitreorum?" vide modo. postquam negavit, iussit 6
illum Caesar decollari: quia enim, si scitum esset,

+ re porrigere · MSS.

really Pasiphae in artificial cow
to lure the white bull to mount
her.

46   PETRONIUS

52 aurum pro luto haberemus. in argento plane studiosus
  sum.   habeo scyphos urnales plus minus *C*: quemadmodum Cassandra occidit filios suos, et pueri mortui
 2 iacent sic ut vivere putes. habeo capides M, quas
 ✝ reliquit patrono *meo* Mummius, ubi Daedalus Niobam
 3 in equum Troianum includit. nam Hermerotis pugnas
  et Petraitis in poculis habeo, omnia ponderosa; meum
  enim intelligere nulla pecunia vendo.'

 4   haec dum refert, puer calicem proiecit. ad quem
  respiciens Trimalchio 'cito' inquit 'te ipsum caede,
 5 quia nugax es'.   statim puer demisso labro orare. at
  ille 'quid me' inquit 'rogas? tanquam ego tibi
  molestus sim.   suadeo, a te impetres, ne sis nugax.'
  tandem ergo exoratus a nobis missionem dedit puero.
6, 7 ille dimissus circa mensam percucurrit . . . et 'aquam
  foras, vinum intro' clamavit: excipimus urbanitatem
  iocantis, et ante omnes Agamemnon, qui sciebat, qui-
 8 bus meritis revocaretur ad cenam. ceterum laudatus
  Trimalchio hilarius bibit et iam ebrio proximus
  'nemo' inquit 'vestrum rogat Fortunatam meam, ut
  saltet? credite mihi: cordacem nemo melius ducit'. . . .
 9 atque ipse, erectis supra frontem manibus, Syrum
  histrionem exhibebat concinente tota familia: μάδεια   ?
10 περιμάδεια. et prodisset in medium, nisi Fortunata
  ad aurem accessisset; [et] credo, dixerit non decere
11 gravitatem eius tam humiles ineptias. nihil autem tam
  inaequale erat; nam modo Fortunatam *verebatur*,
  modo ad naturam suam revertebatur. . . .

53   . . . et plane interpellavit saltationis libidinem actua-
 2 rius, qui tanquam urbis acta recitavit: 'VII. kalendas
  sextiles: in praedio Cumano, quod est Trimalchionis,
  nati sunt pueri XXX, puellae XL; sublata in horreum

✝ quas reliquit patronorum meus (which is
Conj. patronorum meorum unus.

ex area tritici millia modium quingenta ; boves domiti
quingenti.   eodem die : Mithridates servus in crucem ₃
actus est, quia Gai nostri genio male dixerat.   eodem ₄
die : in arcam relatum est, quod collocari non potuit,
sestertium centies.   eodem die : incendium factum est ₅
in hortis Pompeianis, ortum ex aedibus Nastae vilici.'
' quid ?' inquit Trimalchio ' quando mihi Pompeiani ₆
horti empti sunt ?'   ' anno priore ' inquit actuarius ' et ₇
ideo in rationem nondum venerunt'.   excanduit Tri- ₈
malchio et ' quicunque ' inquit ' mihi fundi empti
fuerint, nisi intra sextum mensem sciero, in rationes
meas inferri vetuo '.   iam etiam edicta aedilium recita- ₉
bantur et saltuariorum testamenta, quibus Trimalchio
cum elogio exheredabatur ; iam nomina vilicorum et
atriensis Baias relegatus ; iam reus factus dispensator ₁₀
et iudicium inter cubicularios actum.

  petauristarii autem tandem venerunt.   baro insul- ₁₁
sissimus cum scalis constitit, puerumque iussit per
gradus et in summa parte odaria saltare, circulos
deinde ardentes transilire et dentibus amphoram susti-
nere.   mirabatur haec solus Trimalchio, dicebatque ₁₂
ingratum artificium esse.   ceterum duo esse in rebus
humanis, quae libentissime spectaret, petauristarios et
cornicines ; reliqua, animalia, acroamata, tricas meras
esse.   ' nam et comoedos ' inquit ' emeram, sed malui ₁₃
illos Atellaniam facere, et choraulen meum iussi Latine
cantare.'

  cum maxime haec dicente Gaio puer . ∧ . Trimal- 54
chionis delapsus est.   conclamavit familia, nec minus
convivae, non propter hominem tam putidum, cuius et
cervices fractas libenter vidissent, sed propter malum
exitum cenae, ne necesse haberent alienum mortuum

2 plorare. ipse Trimalchio cum graviter ingemuisset
superque bracchium tanquam laesum incubuisset, con-
currere medici, et inter primos Fortunata crinibus
passis cum scypho, miseramque se atque infelicem
3 proclamavit. nam puer quidem, qui ceciderat, cir-
cumibat iam dudum pedes nostros et missionem roga-
bat. pessime mihi erat, ne his precibus per ridiculum
aliquid catastrophae quaereretur. nec enim adhuc
exciderat cocus ille, qui oblitus fuerat porcum exinte-
4 rare. itaque totum circumspicere triclinium coepi, ne
per parietem automatum aliquod exiret, utique postquam servus verberari coepit, qui bracchium domini
contusum alba potius quam conchyliata involverat
5 lana. nec longe aberravit suspicio mea; in vicem
enim poenae venit decretum Trimalchionis, quo puerum
iussit liberum esse, ne quis posset dicere tantum virum
esse a servo vulneratum.

55 comprobamus nos factum, et quam in praecipiti
2 res humanae essent, vario sermone garrimus. 'ita'
inquit Trimalchio 'non oportet hunc casum sine inscriptione transire', statimque codicillos poposcit et
non diu cogitatione distorta haec recitavit:

3 'quod non expectes, ex transverso fit *ubique*,
    nostra et supra nos Fortuna negotia curat.
        quare da nobis vina Falerna, puer.'
4 ab hoc epigrammate coepit poetarum esse mentio
diuque summa carminis penes Mopsum Thracem me-
morata est, donec Trimalchio 'rogo' inquit 'magister,
5 quid putas inter Ciceronem et Publilium interesse?
ego alterum puto disertiorem fuisse, alterum honestio-
rem. quid enim his melius dici potest?

LARARIUM. The shape is that of an aedicula
60. 8.   From Pompeii

" luxuriae rictu Martis marcent moenia. 6
  tuo palato clausus pavo pascitur
  plumato amictus aureo Babylonico,
  gallina tibi Numidica, tibi gallus spado;
5 ciconia etiam, grata peregrina hospita,
  pietaticultrix gracilipes crotalistria,
  avis exul hiemis, titulus tepidi temporis,
  nequitiae nidum in caccabo fecit modo.
  quo margaritam caram tibi, bacam Indicam?
10 zmaragdum ad quam rem viridem, pretiosum
      vitrum?
  quo Carchedonios optas ignes lapideos?
  nisi ut scintillet probitas e carbunculis."

quod autem' inquit 'putamus secundum litteras 56
difficillimum esse artificium? ego puto medicum et 2
nummularium: medicus, qui scit quid homunciones
intra praecordia sua habeant et quando febris veniat,
etiam si illos odi pessime, quod mihi iubent saepe 3
anatinam parari; nummularius, qui per argentum aes
videt. nam mutae bestiae laboriosissimae boves et 4
oves: boves, quorum beneficio panem manducamus;
oves, quod lana illae nos gloriosos faciunt. et facinus 5
indignum, aliquis ovillam est et tunicam habet. apes 6
enim ego divinas bestias puto, quae mel vomunt, etiam
si dicuntur illud a Iove afferre; ideo autem pungunt,
quia ubicunque dulce est, ibi et acidum invenies.'

iam etiam philosophos de negotio deiciebat, cum 7
pittacia in scypho circumferri coeperunt, puerque super 8
hoc positus officium apophoreta recitavit. 'argentum
sceleratum': allata est perna, super quam acetabula
erant posita. 'cervical': offla collaris allata est.
'serisapia et contumelia': †aecrophagie saele† datae

9 sunt et contus cum malo. 'porri et persica': flagellum
et cultrum accepit; 'passeres et muscarium': uvam
passam et mel Atticum. 'cenatoria et forensia':
offlam et tabulas accepit. 'canale et pedale': lepus
et solea est allata. 'muraena et littera': murem cum
10 rana alligata fascemque betae *accepit*. diu risimus:
sescenta huiusmodi fuerunt, quae iam exciderunt
memoriae meae.

57   ceterum Ascyltos, intemperantis licentiae, cum omnia
sublatis manibus eluderet et usque ad lacrimas rideret,
unus ex conlibertis Trimalchionis excanduit, is ipse
qui supra me discumbebat, et 'quid rides' inquit
2 'berbex? an tibi non placent lautitiae domini mei?
tu enim beatior es et convivare melius soles. ita
tutelam huius loci habeam propitiam, ut ego si
secundum illum discumberem, iam illi balatum duxis-
3 sem. bellum pomum, qui rideatur alios; larifuga
nescio quis, nocturnus. non mehercules soleo cito
fervere, sed in molle carne vermes nascuntur. ridet.
4 quid habet quod rideat? numquid pater fetum emit
lamna? eques Romanus es: et ego regis filius.
"quare ergo servivisti?" quia ipse me dedi in servitutem et malui civis Romanus esse quam tributarius.
et nunc spero me sic vivere, ut nemini iocus sim.
5 homo inter homines sum, capite aperto ambulo; assem
aerarium nemini debeo; constitutum habui nunquam;
6 nemo mihi in foro dixit "redde quod debes". glaebulas
emi, lamellulas paravi; viginti ventres pasco et canem;
contubernalem meam redemi, ne quis in ⟨*sinu*⟩illius
manus tergeret; mille denarios pro capite solvi; sevir
gratis factus sum; spero, sic moriar ut mortuus non
7 erubescam. tu autem tam laboriosus es, ut post te non

respicias? in alio peduclum vides, in te ricinum non
vides. tibi soli ridiclei videmur; ecce magister tuus, 8
homo maior natus: placemus illi. tu lacticulosus, nec
mu nec ma argutas, vasus fictilis, immo lorus in aqua,
lentior, non melior. tu beatior es: bis prande, bis 9
cena. ego fidem meam malo quam thesauros. ad
summam, quisquam me bis poposcit? annis quadra-
ginta servivi; nemo tamen sciit, utrum servus essem
an liber. et puer capillatus in hanc coloniam veni;
adhuc basilica non erat facta. dedi tamen operam, ut 10
domino satis facerem, homini maiiesto et dignitosso,
cuius pluris erat unguis, quam tu totus es. et habebam
in domo, qui mihi pedem opponerent hac illac: tamen
— genio illius gratias — enatavi. haec sunt vera athla; 11
nam [in] ingenuum nasci tam facile est quam "accede
istoc". quid nunc stupes tanquam hircus in ervilia?'

post hoc dictum Giton, qui ad pedes stabat, risum 58
iam diu compressum etiam indecenter effudit. quod
cum animadvertisset adversarius Ascylti, flexit con- 2
vicium in puerum et 'tu autem' inquit 'etiam tu rides,
cepa cirrata? io Saturnalia, rogo, mensis december
est? quando vicesimam numerasti?... quid faciat,
crucis offla, corvorum cibaria. curabo, iam tibi Iovis
iratus sit, et isti qui tibi non imperat. ita satur pane 3
fiam, ut ego istud conliberto meo dono; alioquin iam
tibi depraesentiarum reddidissem. bene nos habemus,
at isti nugae, qui tibi non imperant. plane qualis
dominus, talis et servus. vix me teneo, nec sum natura 4
caldicerebrius, sed cum coepi, matrem meam dupundii
non facio. recte, videbo te in publicum, mus, immo
terrae tuber: nec sursum nec deorsum non cresco, 5
nisi dominum tuum in rutae folium non conieci, nec

tibi parsero, licet mehercules Iovem Olympium clames.
curabo, longe tibi sit comula ista besalis et dominus
6 dupunduarius.   recte, venies sub dentem : aut ego non
me novi, aut non deridebis, licet barbam auream
7 habeas.   Athana tibi irata sit, curabo, et qui te primus
deurode fecit.†   non didici geometrias, critica et alogias
menias, sed lapidarias litteras scio, partes centum dico
8 ad as, ad pondus, ad nummum. ad summam, si quid
vis, ego et tu sponsiunculam : exi, defero lamnam.
iam scies patrem tuum mercedes perdidisse, quamvis
et rhetoricam scis.   ecce

"qui de nobis longe venio, late venio ? solve me."

9 dicam tibi, qui de nobis currit et de loco non movetur ;
qui de nobis crescit et minor fit.   curris, stupes, satagis,
10 tanquam mus in matella.   ergo aut tace aut meliorem
noli molestare, qui te natum non putat ; nisi si me
iudicas anulos buxeos curare, quos amicae tuae in-
11 volasti.   Occuponem propitium.   eamus in forum et
pecunias mutuemur : iam scies hoc ferrum fidem
12 habere.   vah, bella res est volpis uda.   ita lucrum
faciam et ita bene moriar ut populus per exitum meum
iuret, nisi te toga ubique perversa fuero persecutus.
13 bella res et iste, qui te haec docet, mufrius, non magister.
nos didicimus, dicebat enim magister : "sunt vestra
salva ?   recta   domum ;   cave, circumspicias ;   cave,
14 maiorem maledicas."   aut numera† mapalia : nemo
dupondii evadit.   ego, quod me sic vides, propter
artificium meum diis gratias ago.'

59   coeperat Ascyltos respondere convicio, sed Trimalchio delectatus colliberti eloquentia ' agite,' inquit
' scordalias de medio.   suaviter sit potius ; et tu, Her-

meros, parce adulescentulo. sanguen illi fervet, tu
melior esto. semper in hac re qui vincitur, vincit. 2
et tu cum esses capo, coco coco, aeque cor non habebas.
simus ergo, quod melius est, a primitiis hilares et
Homeristas spectemus.' intravit factio statim hastis- 3
que scuta concrepuit. ipse Trimalchio in pulvino consedit, et cum Homeristae Graecis versibus colloque-
rentur, ut insolenter solent, ille canora voce Latine
legebat librum. mox silentio facto 'scitis' inquit
'quam fabulam agant? Diomedes et Ganymedes duo 4
fratres fuerunt. horum soror erat Helena. Agamemnon illam rapuit et Dianae cervam subiecit. ita nunc
Homeros dicit, quemadmodum inter se pugnent Tro-
iani et Parentini. vicit scilicet et Iphigeniam, filiam 5
suam, Achilli dedit uxorem. ob eam rem Aiax in-
sanit et statim argumentum explicabit.' haec ut dixit 6
Trimalchio, clamorem Homeristae sustulerunt, interque familiam discurrentem vitulus in lance ducenaria
elixus allatus est, et quidem galeatus. secutus est 7
Aiax strictoque gladio, tanquam insaniret, concidit, ac
modo versa modo supina gesticulatus mucrone frusta
collegit mirantibusque vitulum partitus est.

  nec diu mirari licuit tam elegantes strophas ; nam **60**
repente lacunaria sonare coeperunt totumque triclinium
intremuit. consternatus ego exsurrexi et timui, ne per 2
tectum petauristarius aliquis descenderet. nec minus
reliqui convivae mirantes erexere vultus, expectantes
quid novi de caelo nuntiaretur. ecce autem diductis 3
lacunaribus subito circulus ingens, de cupa videlicet
grandi excussus, demittitur, cuius per totum orbem
coronae aureae cum alabastris unguenti pendebant.
dum haec apophoreta iubemur sumere, respiciens ad 4

mensam . . . iam illic repositorium cum placentis
aliquot erat positum, quod medium Priapus a pistore
factus tenebat, gremioque satis amplo omnis generis
5 poma et uvas sustinebat more vulgato. avidius ad
pompam manus porreximus, et repente nova ludorum
6 remissio hilaritatem hic refecit. omnes enim placentae
omniaque poma etiam minima vexatione contacta
coeperunt effundere crocum, et usque ad os molestus
7 umor accidere. rati ergo sacrum esse fericulum tam
religioso apparatu perfusum, consurreximus altius et
'Augusto, patri patriae, feliciter' diximus. quibusdam
tamen etiam post hanc venerationem poma rapientibus
et ipsi mappas implevimus.

8   inter haec tres pueri candidas succincti tunicas intraverunt, quorum duo Lares bullatos super mensam
posuerunt, unus pateram vini circumferens 'dii pro-
pitii' clamabat. . . . aiebat autem unum Cerdonem,
9 alterum Felicionem, tertium Lucrionem, vocari. nos
etiam veram imaginem ipsius Trimalchionis, cum iam
omnes basiarent, erubuimus praeterire.

61   postquam ergo omnes bonam mentem bonamque
2 valetudinem sibi optarunt, Trimalchio ad Nicerotem
respexit et 'solebas' inquit 'suavius esse in convictu;
nescio quid nunc taces nec muttis. oro te, sic felicem
3 me videas, narra illud quod tibi usu venit.' Niceros
delectatus affabilitate amici 'omne me' inquit 'lucrum
transeat, nisi iam dudum gaudimonio dissilio, quod te
4 talem video. itaque hilaria mera sint, etsi timeo istos
scholasticos, ne me rideant. viderint : narrabo tamen;
quid enim mihi aufert, qui ridet ? satius est rideri quam
5 derideri.' 'haec ubi dicta dedit', talem fabulam
exorsus est :

'cum adhuc servirem, habitabamus in vico angusto; 6
nunc Gavillae domus est. ibi, quomodo dii volunt,
amare coepi uxorem Terentii coponis : noveratis Me-
lissam Tarentinam, pulcherrimum bacciballum. si quid 8
ab illa petii, nunquam mihi negatum; fecit assem,
semissem habui ; *quicquid habui*, in illius sinum de-
mandavi, nec unquam fefellitus sum. huius contuber- 9
nalis ad villam supremum diem obiit. itaque per
scutum per ocream egi aginavi, quemadmodum ad
illam pervenirem : *scitis* autem, in angustiis amici
apparent. forte dominus Capuae exierat ad scruta 62
scita expedienda. nactus ego occasionem, persuadeo 2
hospitem nostrum, ut mecum ad quintum miliarium
veniat. erat autem miles, fortis tanquam Orcus.
apoculamus nos circa gallicinia, luna lucebat tanquam 3
meridie. venimus inter monimenta : homo meus 4
coepit ad stelas facere, sedeo ego cantabundus et
stelas numero. deinde ut respexi ad comitem, ille 5
exuit se et omnia vestimenta secundum viam posuit.
mihi anima in naso esse, stabam tanquam mortuus.
at ille subito lupus factus est. nolite me iocari 6
putare; ut mentiar, nullius patrimonium tanti facio.
sed, quod coeperam dicere, postquam lupus factus est, 7
ululare coepit et in silvas fugit. ego primitus nescie- 8
bam ubi essem, deinde accessi, ut vestimenta eius
tollerem : illa autem lapidea facta sunt. qui mori
timore nisi ego ? gladium tamen strinxi et in tota 9
via umbras cecidi, donec ad villam amicae meae pervenirem. ut larua intravi, paene animam ebullivi, 10
sudor mihi per bifurcum volabat, oculi mortui, vix
unquam refectus sum. Melissa mea mirari coepit, 11
quod tam sero ambularem, et "si ante" inquit " ve-

nísses, saltem nobis adiutasses; lupus enim villam
intravit et omnia pecora tanquam lanius sanguinem
illis misit.   nec tamen derisit, etiam si fugit; servus
12 enim noster lancea collum eius traiecit ".   haec ut
audivi, operire oculos amplius non potui, sed luce
clara Gai nostri domum fugi tanquam copo compilatus, et postquam veni in illum locum, in quo lapidea
vestimenta erant facta, nihil inveni nisi sanguinem.
13 ut vero domum veni, iacebat miles meus in lecto tanquam bovis, et collum illius medicus curabat.   intellexi
illum versipellem esse, nec postea cum illo panem
14 gustare potui, non si me occidisses.   viderint alii quid
de hoc exopinissent; ego si mentior, genios vestros
iratos habeam.'

63   attonitis admiratione universis 'salvo' inquit 'tuo
sermone' Trimalchio 'si qua fides est, ut mihi pili
inhorruerunt, quia scio Niceronem nihil nugarum
2 narrare : immo certus est et minime linguosus.   nam
et ipse vobis rem horribilem narrabo : asinus in tegulis.
3 cum adhuc capillatus essem, nam a puero vitam Chiam
gessi, ipsimi nostri delicatus decessit, mehercules mar-
4 garitum, caccitus et omnium numerum.   cum ergo
illum mater misella plangeret et nos tum plures in
tristimonio essemus, subito strigae coeperunt; putares
5 canem leporem persequi.   habebamus tunc hominem
Cappadocem, longum, valde audaculum et qui vale-
6 bat : poterat bovem iratum tollere.   hic audacter
stricto gladio extra ostium procucurrit, involuta sinistra manu curiose, et mulierem tanquam hoc loco —
salvum sit, quod tango — mediam traiecit.   audimus
gemitum, et — plane non mentiar — ipsas non vidi-
7 mus.   baro autem noster introversus se proiecit in

lectum, et corpus totum lividum habebat quasi fla-
gellis caesus, quia scilicet illum tetigerat mala
manus. nos cluso ostio redimus iterum ad officium, 8
sed dum mater amplexaret corpus filii sui, tangit et
videt manuciolum de stramentis factum. non cor
habebat, non intestina, non quicquam: scilicet iam
puerum strigae involaverant et supposuerant stramen-
ticium vavatonem. rogo vos, oportet credatis, sunt 9
mulieres plussciae, sunt Nocturnae, et quod sursum
est, deorsum faciunt. ceterum baro ille longus post 10
hoc factum nunquam coloris sui fuit, immo post paucos
dies phreneticus periit.'

miramur nos et pariter credimus, osculatique men- 64
sam rogamus Nocturnas, ut suis se teneant, dum redimus a cena.

et sane iam lucernae mihi plures videbantur ardere 2
totumque triclinium esse mutatum, cum Trimalchio
' tibi dico' inquit ' Plocame, nihil narras? nihil nos
delectaris? et solebas suavius esse, canturire belle
deverbia, adicere melicam. heu heu, abistis dulcis 3
caricae', ' iam' inquit ille ' quadrigae meae decu-
currerunt, ex quo podagricus factus sum. alioquin cum
essem adulescentulus, cantando paene tisicus factus
sum. quid saltare? quid deverbia? quid tonstrinum? 4
quando parem habui nisi unum Apelletem?' opposi- 5
taque ad os manu nescio quid taetrum exsibilavit, quod
postea Graecum esse affirmabat.

nec non Trimalchio ipse cum tubicines esset imitatus, ad delicias suas respexit, quem Croesum appel-
labat. puer autem lippus, sordidissimis dentibus, 6
catellam nigram atque indecenter pinguem prasina
involvebat fascia, panemque semissem ponebat super

7 torum atque [hac] nausea recusantem saginabat. quo
admonitus officii Trimalchio Scylacem iussit adduci
'praesidium domus familiaeque'. nec mora, ingentis
formae adductus est canis catena vinctus, admoni-
tusque ostiarii calce, ut cubaret, ante mensam se
8 posuit. tum Trimalchio iactans candidum panem
9 'nemo' inquit 'in domo mea me plus amat'. indig-
natus puer, quod Scylacem tam effuse laudaret, catellam in terram deposuit hortatusque *est*, ut ad rixam
properaret. Scylax, canino scilicet usus ingenio,
taeterrimo latratu triclinium implevit Margaritamque
10 Croesi paene laceravit. nec intra rixam tumultus
constitit, sed candelabrum etiam super mensam ever-
sum et vasa omnia crystallina comminuit et oleo fer-
11 venti aliquot convivas respersit. Trimalchio ne videretur iactura motus, basiavit puerum ac iussit super
12 dorsum ascendere suum. non moratus ille usus *est*
equo, manuque plena scapulas eius subinde verberavit,
interque risum proclamavit : 'bucca, bucca, quot sunt
13 hic ?' repressus ergo aliquamdiu Trimalchio camellam
grandem iussit misceri . . . potiones dividi omnibus
servis, qui ad pedes sedebant, adiecta exceptione : 'si
quis' inquit 'noluerit accipere, caput illi perfunde.
interdiu severa, nunc hilaria'.

65   hanc humanitatem insecutae sunt matteae, quarum
etiam recordatio me, si qua est dicenti fides, offendit.
2 singulae enim gallinae altiles pro turdis circumlatae
sunt et ova anserina pilleata, quae ut comessemus,
ambitiosissime *a* nobis Trimalchio petiit, dicens exos-
3 satas esse gallinas. inter haec triclinii valvas lictor
percussit, amictusque veste alba cum ingenti frequentia
4 comissator intravit. ego maiestate conterritus prae-

torem putabam venisse. itaque temptavi assurgere et
nudos pedes in terram deferre. risit hanc trepida- 5
tionem Agamemnon et 'contine te' inquit 'homo
stultissime. Habinnas sevir est idemque lapidarius,
qui videtur monumenta optime facere.'

recreatus hoc sermone reposui cubitum, Habinnam- 6
que intrantem cum admiratione ingenti spectabam.
ille autem iam ebrius uxoris suae umeris imposuerat 7
manus, oneratusque aliquot coronis, et unguento per
frontem in oculos fluente, praetorio loco se posuit continuoque vinum et caldam poposcit. delectatus hac 8
Trimalchio hilaritate et ipse capaciorem poposcit scy-
phum quaesivitque, quomodo acceptus esset. 'omnia' 9
inquit 'habuimus praeter te ; oculi enim mei hic erant.
et mehercules bene fuit. Scissa lautum novendialem 10
servo suo misello faciebat, quem mortuum manu
miserat. et puto, cum vicensimariis magnam man-
tissam habet ; quinquaginta enim millibus aestimant
mortuum. sed tamen suaviter fuit, etiam si coacti 11
sumus dimidias potiones super ossucula eius effundere.'
'tamen' inquit Trimalchio 'quid habuistis in cena?' 66
'dicam' inquit 'si potuero ; nam tam bonae memoriae
sum, ut frequenter nomen meum obliviscar. habui- 2
mus tamen in primo porcum botulo coronatum et
circa sangunculum et gizeria optime facta et certe
betam et panem autopyrum de suo sibi, quem ego
malo quam candidum ; sequens ferculum fuit scriblita 3
frigida et super mel caldum infusum excellente His-
panum. itaque de scriblita quidem non minimum edi,
de melle me usque tetigi. circa cicer et lupinum, calvae 4
arbitratu et mala singula. ego tamen duo sustuli et
ecce in mappa alligata habeo ; nam si aliquid muneris

5 meo vernulae non tulero, habebo convicium. bene
me admonet domina mea. in prospectu habuimus
ursinae frustum, de quo cum imprudens Scintilla gus-
6 tasset, paene intestina sua vomuit ; ego contra plus
libram comedi, nam ipsum aprum sapiebat. et si,
inquam, ursus homuncionem comest, quanto magis
7 homuncio debet ursum comesse ? in summo habuimus
caseum mollem ex sapa et cocleas singulas et cordae
frusta et hepatia in catillis et ova pilleata et rapam et
senape. etiam in alveo circumlata sunt oxycomina,
unde quidam etiam improbe ternos pugnos sustulerunt.
67 nam pernae missionem dedimus. sed narra mihi, Gai,
2 rogo, Fortunata quare non recumbit ? ' ' quomodo
nosti ' inquit ' illam ' Trimalchio ' nisi argentum com-
posuerit, nisi reliquias pueris diviserit, aquam in os
3 suum non coniciet.' ' atqui ' respondit Habinnas ' nisi
illa discumbit, ego me apoculo ' et coeperat surgere,
nisi, signo dato, Fortunata quater amplius a tota
4 familia esset vocata. venit ergo galbino succincta
cingillo, ita ut infra cerasina appareret tunica et peri-
5 scelides tortae phaecasiaeque inauratae. tunc sudario
manus tergens, quod in collo habebat, applicat se illi
toro, in quo Scintilla Habinnae discumbebat uxor,
osculataque plaudentem ' est te ' inquit ' videre ? '
6 eo deinde perventum est, ut Fortunata armillas suas
crassissimis detraheret lacertis, Scintillaeque, miranti
ostenderet. ultimo etiam periscelides resolvit et reti-
7 culum aureum, quem ex obrussa esse dicebat. notavit
haec Trimalchio iussitque afferri omnia et ' videtis '
inquit ' mulieris compedes : sic nos barcalae despolia-
mur. sex pondo et selibram debet habere. et ipse
nihilo minus habeo decem pondo armillam ex millesi-

mis Mercurii factam.' ultimo etiam, ne mentiri vide- 8
retur, stateram iussit afferri et circumlatum approbari
pondus. nec melior Scintilla, quae de cervice sua 9
capsellam detraxit aureolam, quam Felicionem appell-
labat. inde duo crotalia protulit et Fortunatae in
vicem consideranda dedit et 'domini' inquit 'mei
beneficio nemo habet meliora'. 'quid?' inquit 10
Habinnas 'excatarissasti me, ut tibi emerem fabam
vitream. plane si filiam haberem, auriculas illi prae-
ciderem. mulieres si non essent, omnia pro luto haberemus.'

interim mulieres sauciae inter se riserunt ebriaeque 11
iunxerunt oscula, dum altera diligentiam matris familiae iactat, altera delicias et indiligentiam viri.

interposito deinde spatio cum secundas mensas Tri- 68
malchio iussisset afferri, sustulerunt servi omnes mensas
et alias attulerunt, scobemque croco et minio tinctam
sparserunt et, quod nunquam ante videram, ex lapide
speculari pulverem tritum. statim Trimalchio 'pote- 2
ram quidem' inquit 'hoc fericulo esse contentus;
secundas enim mensas habetis. *sed* si quid belli
habes, affer.'

interim puer Alexandrinus, qui caldam ministrabat, 3
luscinias coepit imitari clamante Trimalchione subinde:
'muta.' ecce alius ludus. servus qui ad pedes Ha- 4
binnae sedebat, iussus, credo, a domino suo proclamavit subito canora voce:

'interea medium Aeneas iam classe tenebat.'

nullus sonus unquam acidior percussit aures meas; 5
nam praeter errantis barbariae aut adiectum aut de-
minutum clamorem miscebat Atellanicos versus, ut tunc

6 primum me etiam Vergilius offenderit. plausum tamen,
cum aliquando desisset, adiecit Habinnas et 'nunquam'
inquit 'didicit, sed ego ad circulatores eum mittendo
7 erudibam. itaque parem non habet, sive muliones
volet sive circulatores imitari. desperatum valde ingeniosus est: idem sutor est, idem cocus, idem pistor,
8 omnis musae mancipium. duo tamen vitia habet, quae
si non haberet, esset omnium numerum: recutitus est
et stertit. nam quod strabonus est, non curo; sicut
Venus spectat. ideo nihil tacet, vix oculo mortuo
69 unquam. illum emi trecentis denariis.' interpellavit
loquentem Scintilla et 'plane' inquit 'non omnia
artificia servi nequam narras. agaga est, at curabo stig-
2 mam habeat.' risit Trimalchio et 'adcognosco' inquit
'Cappadocem: nihil sibi defraudit, et mehercules laudo
illum; hoc enim nemo parentat. tu autem, Scintilla,
3 noli zelotypa esse. crede mihi, et vos novimus. sed
4 tace, lingua, dabo panem.' tanquam laudatus esset
nequissimus servus, lucernam de sinu fictilem protulit
et amplius semihora tubicines imitatus est succinente
5 Habinna et inferius labrum manu deprimente. ultimo
etiam in medium processit et modo harundinibus
quassis choraulas imitatus est, modo lacernatus cum
flagello mulionum fata egit, donec vocatum ad se
Habinnas basiavit, potionemque illi porrexit et 'tanto
melior' inquit 'Massa, dono tibi caligas'.
6 nec ullus tot malorum finis fuisset, nisi epidipnis
esset allata, turdi siliginei uvis passis nucibusque farsi.
7 insecuta sunt Cydonia etiam mala spinis confixa, ut
echinos efficerent. et haec quidem tolerabilia erant, si
non fericulum longe monstrosius effecisset, ut vel fame
8 perire mallemus. nam cum positus esset, ut nos puta-

bamus, anser altilis circaque pisces et omnium genera
avium, ' *amici* ' inquit Trimalchio ' quicquid videtis hic
positum, de uno corpore est factum '. ego, scilicet 9
homo prudentissimus, statim intellexi quid esset, et
respiciens Agamemnonem ' mirabor' inquam ' nisi
omnia de *fimo* facta sunt aut certe de luto. vidi
Romae Saturnalibus eiusmodi cenarum imaginem fieri'.
necdum finieram sermonem, cum Trimalchio ait: ' ita 70
crescam patrimonio, non corpore, ut ista cocus meus
de porco fecit. non potest esse pretiosior homo. 2
volueris, de vulva faciet piscem, de lardo palumbum,
de perna turturem, de colepio gallinam. et ideo ingenio meo impositum est illi nomen bellissimum ; nam
Daedalus vocatur. et quia bonam mentem habet, 3
attuli illi Roma munus cultros Norico ferro.' quos
statim iussit afferri inspectosque miratus est. etiam
nobis potestatem fecit, ut mucronem ad buccam pro-
baremus.

subito intraverunt duo servi, tanquam qui rixam ad 4
lacum fecissent ; certe in collo adhuc amphoras habe-
bant. cum ergo Trimalchio ius inter litigantes diceret, 5
neuter sententiam tulit decernentis, sed alterius amphoram fuste percussit. consternati nos insolentia ebrio- 6
rum intentavimus oculos in proeliantes notavimusque
ostrea pectinesque e gastris labentia, quae collecta puer
lance circumtulit. has lautitias aequavit ingeniosus 7
cocus ; in craticula enim argentea cocleas attulit et
tremula taeterrimaque voce cantavit.

pudet referre, quae secuntur : inaudito enim more 8
pueri capillati attulerunt unguentum in argentea
pelve pedesque recumbentium unxerunt, cum ante
crura talosque corollis vinxissent. hinc ex eodem 9

unguento in vinarium atque lucernam aliquantum est infusum.

10 iam coeperat Fortunata velle saltare, iam Scintilla frequentius plaudebat quam loquebatur, cum Trimalchio 'permitto' inquit 'Philargyre et Cario, etsi prasinianus es famosus, dic et Menophilae, contuber-
11 nali tuae, discumbat'. quid multa? paene de lectis deiecti sumus, adeo totum triclinium familia occu-
12 paverat. certe ego notavi super me positum cocum, qui de porco anserem fecerat, muria condimentisque
13 fetentem. nec contentus fuit recumbere, sed continuo Ephesum tragoedum coepit imitari et subinde dominum suum sponsione provocare 'si prasinus proximis circensibus primam palmam'.

71 diffusus hac contentione Trimalchio 'amici' inquit 'et servi homines sunt et aeque unum lactem biberunt, etiam si illos malus fatus oppresserit. tamen me salvo cito aquam liberam gustabunt. ad summam, omnes
2 illos in testamento meo manu mitto. Philargyro etiam fundum lego et contubernalem suam, Carioni quoque
3 insulam et vicesimam et lectum stratum. nam Fortunatam meam heredem facio, et commendo illam omnibus amicis meis. et haec ideo omnia publico, ut familia mea iam nunc sic me amet tanquam mortuum.'
4 gratias agere omnes indulgentiae coeperant domini, cum ille oblitus nugarum exemplar testamenti iussit afferri et totum a primo ad ultimum ingemescente
5 familia recitavit. respiciens deinde Habinnam 'quid dicis' inquit 'amice carissime? aedificas monumentum
6 meum, quemadmodum te iussi? valde te rogo, ut secundum pedes statuae meae catellam ponas et coronas et unguenta et Petraitis omnes pugnas, ut

TILE WITH GRAFFITO.   See p. 139, n. 26
Guildhall Museum

BANQUETING SCENE

mihi contingat tuo beneficio post mortem vivere;
praeterea ut sint in fronte pedes centum, in agrum
pedes ducenti. omne genus enim poma volo sint circa 7
cineres meos, et vinearum largiter. valde enim falsum
est vivo quidem domos cultas esse, non curari eas ubi
diutius nobis habitandum est. et ideo ante omnia
adici volo : " hoc monumentum heredem non sequatur ". ceterum erit mihi curae, ut testamento caveam, 8
ne mortuus iniuriam accipiam. praeponam enim unum
ex libertis sepulcro meo custodiae causa. te rogo, ut 9
naves etiam . . . monumenti mei facias plenis velis
euntes, et me in tribunali sedentem praetextatum cum
anulis aureis quinque et nummos in publico de sacculo
effundentem; scis enim, quod epulum dedi binos
denarios. faciatur, si tibi videtur, et triclinia. facias 10
et totum populum sibi suaviter facientem. ad dexte- 11
ram meam ponas statuam Fortunatae meae columbam
tenentem : et catellam cingulo alligatam ducat : et
cicaronem meum, et amphoras copiosas gypsatas, ne
effluant vinum. et urnam licet fractam sculpas, et
super eam puerum plorantem. horologium in medio,
ut quisquis horas inspiciet, velit nolit, nomen meum
legat. inscriptio quoque vide diligenter si haec satis 12
idonea tibi videtur : " C. Pompeius Trimalchio Maecenatianus hic requiescit. huic seviratus absenti de-
cretus est. cum posset in omnibus decuriis Romae
esse, tamen noluit. pius, fortis, fidelis, ex parvo crevit,
sestertium reliquit trecenties. nec unquam philosophum
audivit. vale : et tu." '

haec ut dixit Trimalchio, flere coepit ubertim. 72
flebat et Fortunata, flebat et Habinnas, tota denique
familia, tanquam in funus rogata, lamentatione tri-

2 clinium implevit. immo iam coeperam etiam ego
plorare, cum Trimalchio 'ergo' inquit 'cum sciamus
3 nos morituros esse, quare non vivamus? sic vos felices
videam, coniciamus nos in balneum, meo periculo, non
4 paenitebit. sic calet tanquam furnus.' 'vero, vero'
inquit Habinnas 'de una die duas facere, nihil malo'
nudisque consurrexit pedibus et Trimalchionem plaudentem subsequi *coepit*.

5   ego respiciens ad Ascylton 'quid cogitas?' inquam
'ego enim si videro balneum, statim expirabo'.
6 'assentemur' ait ille 'et dum illi balneum petunt, nos
7 in turba exeamus'. cum haec placuissent, ducente
per porticum Gitone ad ianuam venimus, ubi canis
catenarius tanto nos tumultu excepit, ut Ascyltos
etiam in piscinam ceciderit. nec non ego quoque
ebrius, qui etiam pictum timueram canem, dum natanti
8 opem fero, in eundem gurgitem tractus sum. servavit
nos tamen atriensis, qui interventu suo et canem
9 placavit et nos trementes extraxit in siccum. et
Giton quidem iam dudum se ratione acutissima
redemerat a cane; quicquid enim a nobis acceperat
de cena, latranti sparserat. at ille avocatus cibo
10 furorem suppresserat. ceterum cum algentes utique
petissemus ab atriense, ut nos extra ianuam emitteret,
'erras' inquit 'si putas te exire hac posse, qua venisti.
nemo unquam convivarum per eandem ianuam emissus
73 est; alia intrant, alia exeunt.' quid faciamus homines
miserrimi et novi generis labyrintho inclusi, quibus
2 lavari iam coeperat votum esse? ultro ergo rogavi-
mus, ut nos ad balneum duceret, proiectisque vesti-
mentis, quae Giton in aditu siccare coepit, balneum
intravimus, angustum scilicet et cisternae frigidariae

simile, in quo Trimalchio rectus stabat. ac ne sic
quidem putidissimam eius iactationem licuit effugere;
nam nihil melius esse dicebat quam sine turba lavari,
et eo ipso loco aliquando pistrinum fuisse. deinde ut 3
lassatus consedit, invitatus balnei sono diduxit usque
ad cameram os ebrium et coepit Menecratis cantica
lacerare, sicut illi dicebant, qui linguam eius intellege-
bant. ceteri convivae circa labrum manibus nexis 4
currebant et † gingilipho † ingenti clamore exsonabant.
alii autem aut restrictis manibus anulos de pavimento
ore conabantur tollere aut posito genu cervices post
terga flectere et pedum extremos pollices tangere. nos,
dum alii sibi ludos faciunt, in solio, quod Trimalchioni 5
parabatur, descendimus.

ergo ebrietate discussa in aliud triclinium deducti
sumus, ubi Fortunata disposuerat lautitias suas ita
ut supra lucernas . . . aeneolosque piscatores notaverim
et mensas totas argenteas calicesque circa fictiles
inauratos et vinum in conspectu sacco defluens. tum 6
Trimalchio 'amici' inquit ' hodie servus meus barbatoriam fecit, homo praefiscini frugi et micarius. itaque
tangomenas faciamus et usque in lucem cenemus.'
haec dicente eo gallus gallinaceus cantavit. qua voce 74
confusus Trimalchio vinum sub mensa iussit effundi
lucernamque etiam mero spargi. immo anulum traiecit 2
in dexteram manum et 'non sine causa' inquit 'hic
bucinus signum dedit ; nam aut incendium oportet
fiat, aut aliquis in vicinia animam abiciet. longe a
nobis. itaque quisquis hunc indicem attulerit, corolla- 3
rium accipiet.' dicto citius de vicinia gallus allatus 4
est, quem Trimalchio *occidi* iussit, ut aeno coctus
fieret. laceratus igitur ab illo doctissimo coco, qui 5

The MS reading is not impossible Latin.

paulo ante de porco aves piscesque fecerat, in cacca-
bum est coniectus.   dumque Daedalus potionem
ferventissimam haurit, Fortunata mola buxea piper
trivit.

6   sumptis igitur matteis respiciens ad familiam Trimalchio 'quid vos' inquit 'adhuc non cenastis? abite,
7 ut alii veniant ad officium.   subiit igitur alia classis,
et illi quidem exclamavere: 'vale Gai', hi autem:
8 'ave Gai.'   hinc primum hilaritas nostra turbata est;
nam cum puer non inspeciosus inter novos intrasset
ministros, invasit eum Trimalchio et osculari diutius
9 coepit.   itaque Fortunata, ut ex aequo ius firmum
approbaret, male dicere.   Trimalchioni coepit et
purgamentum dedecusque praedicare.   ultimo etiam
10 adiecit: 'canis.'   Trimalchio contra offensus convicio
11 calicem in faciem Fortunatae immisit.   illa tanquam
oculum perdidisset, exclamavit manusque trementes
12 ad faciem suam admovit.   consternata est etiam
Scintilla trepidantemque sinu suo texit.   immo puer
quoque officiosus urceolum frigidum ad malam eius
admovit, super quem incumbens Fortunata gemere ac
13 flere coepit.   contra Trimalchio 'quid enim?' inquit
'ambubaia non meminit, sed de machina illam sustuli,
hominem inter homines feci.   at inflat se tanquam
rana, et in sinum suum non spuit, codex, non mulier.
sed hic, qui in pergula natus est, aedes non somniatur.
14 ita genium meum propitium habeam, curabo, domata
15 sit Cassandra caligaria.   et ego, homo dipundiarius,
sestertium centies accipere potui.   scis tu me non
mentiri.   Agatho, unguentarius erae proximae, seduxit
me et 'suadeo' inquit 'non patiaris genus tuum in-
16 terire'.   at ego dum bonatus ago et nolo videri levis,

ipse mihi asciam in crus impegi. recte, curabo me 17
unguibus quaeras. et ut depraesentiarum intelligas,
quid tibi feceris: Habinna, nolo statuam eius in monu-
mento meo ponas, ne mortuus quidem lites habeam.
immo, ut sciat me posse malum dare, nolo me mortuum
basiet.'

post hoc fulmen Habinnas rogare coepit, ut iam 75
desineret irasci et 'nemo' inquit 'nostrum non peccat.
homines sumus, non dei'. idem et Scintilla flens dixit 2
ac per genium eius Gaium appellando rogare coepit,
ut se frangeret. non tenuit ultra lacrimas Trimalchio 3
et 'rogo' inquit 'Habinna, sic peculium tuum fruniscaris: si quid perperam feci, in faciem meam inspue.
puerum basiavi frugalissimum, non propter formam, 4
sed quia frugi est: decem partes dicit, librum ab oculo
legit, †thraecium† sibi de diariis fecit, arcisellium de suo
paravit et duas trullas. non est dignus quem in oculis 5
feram? sed Fortunata vetat. ita tibi videtur, fulci- 6
pedia? suadeo, bonum tuum concoquas, milva, et me
non facias ringentem: alioquin experieris cerebrum
meum. nosti me: quod semel destinavi, clavo tabu- 7
lari fixum est. sed vivorum meminerimus. vos rogo, 8
amici, ut vobis suaviter sit. nam ego quoque tam fui
quam vos estis, sed virtute mea ad hoc perveni. corcillum est quod homines facit, cetera quisquilia omnia.
"bene emo, bene vendo"; alius alia vobis dicet. feli- 9
citate dissilio. tu autem, sterteia, etiamnum ploras?
iam curabo, fatum tuum plores. sed, ut coeperam 10
dicere, ad hanc me fortunam frugalitas mea perduxit.
tam magnus ex Asia veni, quam hic candelabrus est.
ad summam, quotidie me solebam ad illum metiri, et
ut celerius rostrum barbatum haberem, labra de lucerna

76 ungebam. ceterum, quemadmodum di volunt, dominus in domo factus sum, et ecce cepi ipsimi cerebellum.

2 quid multa? coheredem me Caesari fecit, et accepi

3 patrimonium laticlavium. nemini tamen nihil satis
est. concupivi negotiari. ne multis vos morer,
quinque naves aedificavi, oneravi vinum—et tunc erat

4 contra aurum—misi Romam. putares me hoc iussisse :
omnes naves naufragarunt, factum, non fabula. uno
die Neptunus trecenties sestertium devoravit. putatis

5 me defecisse? non mehercules mi haec iactura gusti
fuit, tanquam nihil facti. alteras feci maiores et
meliores et feliciores, ut nemo non me virum fortem

6 diceret. scitis, magna navis magnam fortitudinem
habet. oneravi rursus vinum, lardum, fabam, seplasium,

7 mancipia. hoc loco Fortunata rem piam fecit ; omne
enim aurum suum, omnia vestimenta vendidit et mi
centum aureos in manu posuit. hoc fuit peculii mei

8 fermentum. cito fit, quod di volunt. uno cursu
centies sestertium corrotundavi. statim redemi fundos
omnes, qui patroni mei fuerant. aedifico domum,
venalicia coemo iumenta ; quicquid tangebam, cresce-

9 bat tanquam favus. postquam coepi plus habere,
quam tota patria mea habet, manum de tabula : sustuli

10 me de negotiatione et coepi libertos faenerare. et sane
nolentem me negotium meum agere, exhortavit mathe-
maticus, qui venerat forte in coloniam nostram,

11 Graeculio, Serapa nomine, consiliator deorum. hic
mihi dixit etiam ea, quae oblitus eram ; ab acia et acu
mi omnia exposuit ; intestinas meas noverat ; tantum
quod mihi non dixerat, quid pridie cenaveram. putas-

77 ses illum semper mecum habitasse. rogo, Habinna—
puto, interfuisti—: " tu dominam tuam de rebus illis

fecisti. tu parum felix in amicos es. nemo unquam
tibi parem gratiam refert. tu latifundia possides. 2
tu viperam sub ala nutricas" et, quod vobis non
dixerim, et nunc mi restare vitae annos triginta et
menses quattuor et dies duos. praeterea cito accipiam
hereditatem. hoc mihi dicit fatus meus. quod si 3
contigerit fundos Apuliae iungere, satis vivus pervenero.
interim dum Mercurius vigilat, aedificavi hanc domum, 4
ut scitis, cusuc erat; nunc templum est. habet quattuor cenationes, cubicula viginti, porticus marmoratos
duos, susum cenationem, cubiculum in quo ipse dormio,
viperae huius sessorium, ostiarii cellam perbonam;
hospitium hospites capit. ad summam, Scaurus cum 5
huc venit, nusquam mavoluit hospitari, et habet ad
mare paternum hospitium. et multa alia sunt, quae 6
statim vobis ostendam. credite mihi: assem habeas,
assem valeas; habes, habeberis. sic amicus vester,
qui fuit rana, nunc est rex. interim, Stiche, profer 7
vitalia, in quibus volo me efferri. profer et unguentum et ex illa amphora gustum, ex qua iubeo lavari
ossa mea.'

non est moratus Stichus, sed et stragulam albam 78
et praetextam in triclinium attulit ... iussitque nos
temptare, an bonis lanis essent confecta. tum subri- 2
dens 'vide tu' inquit 'Stiche, ne ista mures tangant
aut tineae; alioquin te vivum comburam. ego gloriosus volo efferri, ut totus mihi populus bene im-
precetur.' statim ampullam nardi aperuit omnesque 3
nos unxit et 'spero' inquit 'futurum ut aeque me
mortuum iuvet tanquam vivum'. nam vinum quidem 4
in vinarium iussit infundi et 'putate vos' ait 'ad
parentalia mea invitatos esse'.

5 ibat res ad summam nauseam, cum Trimalchio
ebrietate turpissima gravis novum acroama, cornicines,
in triclinium iussit adduci, fultusque cervicalibus multis
extendit se super torum extremum et 'fingite me'
6 inquit 'mortuum esse. dicite aliquid belli.' con-
sonuere cornicines funebri strepitu. unus praecipue
servus libitinarii illius, qui inter hos honestissimus
erat, tam valde intonuit, ut totam concitaret viciniam.
7 itaque vigiles, qui custodiebant vicinam regionem, rati
ardere Trimalchionis domum, effregerunt ianuam
subito et cum aqua securibusque tumultuari suo iure
8 coeperunt. nos occasionem opportunissimam nacti
Agamemnoni verba dedimus, raptimque tam plane
quam ex incendio fugimus.

SENECAE

APOCOLOCYNTOSIS

Quid actum sit in caelo ante diem III. idus Octobris **1**
anno novo, initio saeculi felicissimi, volo memoriae
tradere. nihil nec offensae nec gratiae dabitur. haec
ita vera. si quis quaesiverit unde sciam, primum, si
noluero, non respondebo. quis coacturus est? ego
scio me liberum factum, ex quo suum diem obiit ille,
qui verum proverbium fecerat, aut regem aut fatuum
nasci oportere. si libuerit respondere, dicam quod **2**
mihi in buccam venerit. quis unquam ab historico
iuratores exegit? tamen si necesse fuerit auctorem
producere, quaerito ab eo qui Drusillam euntem in
caelum vidit: idem Claudium vidisse se dicet iter
facientem 'non passibus aequis'. velit nolit, necesse
est illi omnia videre, quae in caelo aguntur: Appiae
viae curator est, qua scis et divum Augustum et Tibe-
rium Caesarem ad deos isse. hunc si interrogaveris, **3**
soli narrabit: coram pluribus nunquam verbum faciet.
nam ex quo in senatu iuravit se Drusillam vidisse
caelum ascendentem et illi pro tam bono nuntio nemo
credidit, quod viderit, verbis conceptis affirmavit se
non indicaturum, etiam si in medio foro hominem
occisum vidisset. ab hoc ego quae tum audivi, certa
clara affero, ita illum salvum et felicem habeam.

2 iam Phoebus breviore via contraxerat orbem
  lucis, et obscuri crescebant tempora somni,
  iamque suum victrix augebat Cynthia regnum
  et deformis hiemps gratos carpebat honores
  divitis autumni, visoque senescere Baccho,
  carpebat raras serus vindemitor uvas—

2 puto magis intellegi, si dixero: mensis erat October,
dies III. idus Octobris. horam non possum certam
tibi dicere, facilius inter philosophos quam inter horo-|
logia conveniet, tamen inter sextam et septimam
3 erat. 'nimis rustice' inquies: 'cum omnes poetae,
non contenti ortus et occasus describere, [ut] etiam
medium diem inquietent, tu sic transibis horam tam
bonam?'

4 iam medium curru Phoebus diviserat orbem,
  et propior nocti fessas quatiebat habenas,
  obliquo flexam deducens tramite lucem:

3 Claudius animam agere coepit nec invenire exitum
poterat. tum Mercurius, qui semper ingenio eius
delectatus esset, unam e tribus Parcis seducit et ait:
'quid, femina crudelissima, hominem miserum torqueri
pateris? nec unquam tam diu cruciatus cesset? annus
sexagesimus quartus est, ex quo cum anima luctatur.
2 quid huic et rei publicae invides? patere mathe-
maticos aliquando verum dicere, qui illum, ex quo
princeps factus est, omnibus annis, omnibus mensibus
efferunt. et tamen non est mirum si errant et horam
eius nemo novit; nemo enim unquam illum natum
putavit. fac quod faciendum est:

  " dede neci, melior vacua sine regnet in aula."'

3 sed Clotho 'ego mehercules' inquit 'pusillum tempo-

ris adicere illi volebam, dum hos pauculos, qui super-
sunt, civitate donaret' — constituerat enim omnes
Graecos, Gallos, Hispanos, Britannos togatos videre—
'sed quoniam placet aliquos peregrinos in semen
relinqui et tu ita iubes fieri, fiat'. aperit tum capsu- 4
lam et tres fusos profert: unus erat Augurini, alter
Babae, tertius Claudii. 'hos' inquit 'tres uno anno
exiguis intervallis temporum divisos mori iubebo, nec
illum incomitatum dimittam. non oportet enim eum,
qui modo se tot milia hominum sequentia videbat, tot
praecedentia, tot circumfusa, subito solum destitui.
contentus erit his interim convictoribus.'

haec ait et turpi convolvens stamina fuso   4
abrupit stolidae regalia tempora vitae.
at Lachesis redimita comas, ornata capillos,
Pieria crinem lauro frontemque coronans
candida de niveo subtemina vellere sumit
felici moderanda manu, quae ducta colorem
assumpsere novum. mirantur pensa sorores:
mutatur vilis pretioso lana metallo,
aurea formoso descendunt saecula filo.
10 nec modus est illis, felicia vellera ducunt,
et gaudent implere manus, sunt dulcia pensa.
sponte sua festinat opus, nulloque labore
mollia contorto descendunt stamina fuso.
vincunt Tithoni, vincunt et Nestoris annos.
Phoebus adest cantuque iuvat, gaudetque futuris,
et laetus nunc plectra movet, nunc pensa ministrat;
detinet intentas cantu fallitque laborem.
dumque nimis citharam fraternaque carmina lau-
        dant,

plus solito nevere manus, humanaque fata
20 laudatum transcendit opus. 'ne demite, Parcae'
Phoebus ait 'vincat mortalis tempora vitae
ille mihi similis vultu similisque decore
nec cantu nec voce minor. felicia lassis
saecula praestabit, legumque silentia rumpet.
qualis discutiens fugientia Lucifer astra,
aut qualis surgit redeuntibus Hesperus astris,
qualis cum primum tenebris Aurora solutis
induxit rubicunda diem, Sol aspicit orbem
lucidus, et primos a carcere concitat axes :
30 talis Caesar adest, talem iam Roma Neronem
aspiciet. flagrat nitidus fulgore remisso
vultus et adfuso cervix formosa capillo.'

2 haec Apollo. at Lachesis, quae et ipsa homini for-
mosissimo faveret, fecit illud plena manu, et Neroni
multos annos de suo donat. Claudium autem iubent
omnes

χαίροντες, εὐφημοῦντες ἐκπέμπειν δόμων.

et ille quidem animam ebulliit, et ex eo desiit vivere
videri. expiravit autem dum comoedos audit, ut
scias me non sine causa illos timere.

5 quae in terris postea sint acta, supervacuum est
referre. scitis enim optime, nec periculum est ne
excidant memoriae quae gaudium publicum impres-
serit : nemo felicitatis suae obliviscitur. in caelo quae
2 acta sint, audite : fides penes auctorem erit. nuntiatur
Iovi venisse quendam bonae staturae, bene canum;
nescio quid illum minari, assidue enim caput movere;
pedem dextrum trahere. quaesisse se, cuius nationis
esset : respondisse nescio quid perturbato sono et voce

confusa; non intellegere se linguam eius, nec Graecum
esse nec Romanum nec ullius gentis notae. tum 3
Iuppiter Herculem, qui totum orbem terrarum pererra-
verat et nosse videbatur omnes nationes, iubet ire et
explorare, quorum hominum esset. tum Hercules
primo aspectu sane perturbatus est, ut qui etiam non
omnia monstra timuerit. ut vidit novi generis faciem,
insolitum incessum, vocem nullius terrestris animalis
sed qualis esse marinis beluis solet, raucam et impli-
catam, putavit sibi tertium decimum laborem venisse.
diligentius intuenti visus est quasi homo. accessit 4
itaque et quod facillimum fuit Graeculo, ait :

> τίς πόθεν εἷς ἀνδρῶν, πόθι τοι πόλις ἠδὲ τοκῆες ;

Claudius gaudet esse illic philologos homines, sperat
futurum aliquem historiis suis locum. itaque et ipse
Homerico versu Caesarem se esse significans ait :

> Ἰλιόθεν με φέρων ἄνεμος Κικόνεσσι πέλασσεν.

erat autem sequens versus verior, aeque Homericus :

> ἔνθα δ' ἐγὼ πόλιν ἔπραθον, ὤλεσα δ' αὐτούς.

et imposuerat Herculi minime vafro, nisi fuisset illic 6
Febris, quae fano suo relicto sola cum illo venerat :
ceteros omnes deos Romae reliquerat. 'iste' inquit
'mera mendacia narrat. ego tibi dico, quae cum illo
tot annis vixi : Luguduni natus est, Marci municipem
vides. quod tibi narro, ad sextum decimum lapidem
natus a Vienna, Gallus germanus. itaque quod Gallum
facere oportebat, Romam cepit. hunc ego tibi recipio
Luguduni natum, ubi Licinus multis annis regnavit.
tu autem, qui plura loca calcasti quam ullus mulio
perpetuarius [Lugudunenses] scire debes multa milia

2 inter Xanthum et Rhodanum interesse'. excandescit
hoc loco Claudius et quanto potest murmure irascitur.
quid diceret, nemo intellegebat, ille autem Febrim
duci iubebat. illo gestu solutae manus et ad hoc
unum satis firmae, quo decollare homines solebat,
iusserat illi collum praecidi. putares omnes illius esse
7 libertos: adeo illum nemo curabat. tum Hercules
'audi me' inquit 'tu desine fatuari. venisti huc, ubi
mures ferrum rodunt. citius mihi verum, ne tibi
alogias excutiam.' et quo terribilior esset, tragicus fit
et ait:

2   'exprome propere, sede qua genitus cluas,
hoc ne peremptus stipite ad terram accidas;
haec clava reges saepe mactavit feros.
quid nunc profatu vocis incerto sonas?
quae patria, quae gens mobile eduxit caput?
edissere.   equidem regna tergemini petens
longinqua regis, unde ab Hesperio mari
Inachiam ad urbem nobile advexi pecus,
vidi duobus imminens fluviis iugum,
10 quod Phoebus ortu semper obverso videt,
ubi Rhodanus ingens amne praerapido fluit,
Ararque dubitans, quo suos cursus agat,
tacitus quietis adluit ripas vadis.
estne illa tellus spiritus altrix tui?'

3 haec satis animose et fortiter, nihilo minus mentis suae
non est et timet μωροῦ πληγήν. Claudius ut vidit
virum valentem, oblitus nugarum intellexit neminem
Romae sibi parem fuisse, illic non habere se idem
gratiae: gallum in suo sterquilino plurimum posse.
4 itaque quantum intellegi potuit, haec visus est dicere:

'ego te, fortissime deorum Hercule, speravi mihi ad-
futurum apud alios, et si qui a me notorem petisset,
te fui nominaturus, qui me optime nosti. nam si
memoria repetis, ego eram qui tibi ante templum tuum
ius dicebam totis diebus mense Iulio et Augusto. tu 5
scis, quantum illic miseriarum tulerim, cum causidicos
audirem diem et noctem, in quos si incidisses, valde
fortis licet tibi videaris, maluisses cloacas Augeae
purgare : multo plus ego stercoris exhausi. sed
quoniam volo' . . . 'non mirum quod in curiam im- 8
petum fecisti : nihil tibi clausi est. modo dic nobis,
qualem deum istum fieri velis. Ἐπικούρειος θεὸς non
potest esse : οὔτε αὐτὸς πρᾶγμα ἔχει τι οὔτε ἄλλοις
παρέχει ; Stoicus? quomodo potest "rotundus" esse,
ut ait Varro, " sine capite, sine praeputio"? est aliquid
in illo Stoici dei, iam video : nec cor nec caput habet.
si mehercules a Saturno petisset hoc beneficium, cuius 2
mensem toto anno celebravit, Saturnalicius princeps,
non tulisset illud, nedum ab Iove, quem quantum
quidem in illo fuit, damnavit incesti. hic nobis curva 3
corriget? quid in cubiculo suo faciat, nescit, et iam
"caeli scrutatur plagas"? deus fieri vult : parum est
quod templum in Britannia habet, quod hunc barbari
colunt et ut deum orant μωροῦ εὐιλάτου τυχεῖν?'

tandem Iovi venit in mentem, privatis intra curiam 9
morantibus *senatoribus non licere* sententiam dicere
nec disputare. 'ego' inquit 'p. c. interrogare vobis
permiseram, vos mera mapalia fecistis. volo ut serve-
tis disciplinam curiae. hic qualiscunque est, quid de
nobis existimabit?' illo dimisso primus interrogatur 2
sententiam Ianus pater. is designatus erat in kal.
Iulias postmeridianus consul, homo quantumvis vafer,

qui semper videt ἅμα πρόσσω καὶ ὀπίσσω. is multa
diserte, quod in foro vivebat, dixit, quae notarius persequi non potuit, et ideo non refero, ne aliis verbis
3 ponam, quae ab illo dicta sunt. multa dixit de mag-
nitudine deorum : non debere hunc vulgo dari honorem.
'olim' inquit 'magna res erat deum fieri : iam famam
mimum fecistis. itaque ne videar in personam, non
in rem dicere sententiam, censeo ne quis post hunc
diem deus fiat ex his, qui ἀρούρης καρπὸν ἔδουσιν, aut
ex his, quos alit ζείδωρος ἄρουρα. qui contra hoc
senatus consultum deus factus dictus pictusve erit,
eum dedi Laruis et proximo munere inter novos aucto-
4 ratos ferulis vapulare placet.' proximus interrogatur
sententiam Diespiter Vicae Potae filius, et ipse designatus consul, nummulariolus : hoc quaestu se sustinebat,
vendere civitatulas solebat. ad hunc belle accessit
Hercules et auriculam illi tetigit. censet itaque in
5 haec verba : 'cum divus Claudius et divum Augustum
sanguine contingat nec minus divam Augustam aviam
suam, quam ipse deam esse iussit, longeque omnes
mortales sapientia antecellat, sitque e re publica esse
aliquem qui cum Romulo possit "ferventia rapa vorare",
censeo uti divus Claudius ex hac die deus sit, ita uti ante
eum qui optimo iure factus sit, eamque rem ad meta-
6 morphosis Ovidi adiciendam'. variae erant sententiae,
et videbatur Claudius [sententiam] vincere. Hercules
enim, qui videret ferrum suum in igne esse, modo huc
modo illuc cursabat et aiebat : 'noli mihi invidere,
mea res agitur ; deinde tu si quid volueris, in vicem
faciam ; manus manum lavat'.
10   tunc divus Augustus surrexĭt sententiae suae loco
dicendae et summa facundia disseruit : 'ego' inquit

' p. c. vos testes habeo, ex quo deus factus sum, nullum
me verbum fecisse: semper meum negotium ago.
sed non possum amplius dissimulare, et dolorem, quem
graviorem pudor facit, continere. in hoc terra mari- 2
que pacem peperi? ideo civilia bella compescui? ideo
legibus urbem fundavi, operibus ornavi, ut—quid dicam
p. c. non invenio: omnia infra indignationem verba
sunt. confugiendum est itaque ad Messalae Corvini,
disertissimi viri, illam sententiam "pudet imperii".
hic, p. c., qui vobis non posse videtur muscam excitare, 3
tam facile homines occidebat, quam canis adsidit.
sed quid ego de tot ac talibus viris dicam? non vacat
deflere publicas clades intuenti domestica mala. itaque
illa omittam, haec referam; nam etiam si soror mea
[Graece] nescit, ego scio: ἔγγιον γόνυ κνήμης. iste 4
quem videtis, per tot annos sub meo nomine latens,
hanc mihi gratiam rettulit, ut duas Iulias proneptes
meas occideret, alteram ferro, alteram fame; unum
abnepotem L. Silanum, videris Iuppiter an in causa
mala, certe in tua, si aecus futurus es. dic mihi, dive
Claudi, quare quemquam ex his, quos quasque occidisti, antequam de causa cognosceres, antequam
audires, damnasti? hoc ubi fieri solet? in caelo non 11
fit. ecce Iuppiter, qui tot annos regnat, uni Volcano
crus fregit, quem

ῥῖψε ποδὸς τεταγὼν ἀπὸ βηλοῦ θεσπεσίοιο,

et iratus fuit uxori et suspendit illam: numquid
occidit? tu Messalinam, cuius aeque avunculus maior
eram quam tuus, occidisti. "nescio" inquis. di tibi
male faciant: adeo istuc turpius est, quod nescisti,
quam quod occidisti. C. Caesarem non desiit mor- 2

tuum persequi.   occiderat ille socerum : hic et gene-
rum.   Gaius Crassi filium vetuit Magnum vocari : hic
nomen illi reddidit, caput tulit.   occidit in una domo
Crassum, Magnum, Scriboniam, Tristionias, Assari-
onem, nobiles tamen, Crassum vero tam fatuum, ut
3 etiam regnare posset.   hunc nunc deum facere vultis ?
videte corpus eius dis iratis natum.   ad summam, tria
4 verba cito dicat, et servum me ducat.   hunc deum
quis colet ? quis credet ? dum tales deos facitis, nemo
vos deos esse credet.   summa rei, p. c., si honeste *me*
inter vos gessi, si nulli clarius respondi, vindicate
iniurias meas.   ego pro sententia mea hoc censeo : '
5 atque ita ex tabella recitavit : ' quando quidem divus
Claudius occidit socerum suum Appium Silanum,
generos duos Magnum Pompeium et L. Silanum,
socerum filiae suae Crassum Frugi, hominem tam
similem sibi quam ovo ovum, Scriboniam socrum filiae
suae, uxorem suam Messalinam et ceteros quorum
numerus iniri non potuit, placet [mihi] in eum severe
animadverti nec illi rerum iudicandarum vacationem
dari eumque quam primum exportari et caelo intra
triginta dies excedere, Olympo intra diem tertium.'
6   pedibus in hanc sententiam itum est.   nec mora,
Cyllenius illum collo obtorto trahit ad inferos, a
caelo

　　' *illuc* unde negant redire quemquam '.

12 dum descendunt per viam sacram, interrogat Mercu-
rium, quid sibi velit ille concursus hominum, num
Claudii funus esset.   et erat omnium formosissimum
et impensa cura, plane ut scires deum efferri : tubici-
num, cornicinum, omnis generis aenatorum tanta turba,

tantus concentus, ut etiam Claudius audire posset.
omnes laeti, hilares: populus Romanus ambulabat tan- 2
quam liber. Agatho et pauci causidici plorabant, sed
plane ex animo. iurisconsulti e tenebris procedebant,
pallidi, graciles, vix animam habentes, tanquam qui
tum maxime reviviscerent. ex his unus cum vidisset
capita conferentes et fortunas suas deplorantes causidicos, accedit et ait: ' dicebam vobis: non semper
Saturnalia erunt.' Claudius ut vidit funus suum, in- 3
tellexit se mortuum esse. ingenti enim μεγάλῳ χορικῷ
nenia cantabatur anapaestis:

    ' fundite fletus, edite planctus,
    resonet tristi clamore forum :
    cecidit pulchre cordatus homo,
    quo non alius fuit in toto
  5 fortior orbe.
    ille citato vincere cursu
    poterat celeres, ille rebelles
    fundere Parthos, levibusque sequi
    Persida telis, certaque manu
 10 tendere nervum, qui praecipites
    vulnere parvo figeret hostes,
    victaque Medi terga fugacis.
    ille Britannos ultra noti
    litora ponti,
 15 et caeruleos scuta Brigantas
    dare Romuleis colla catenis
    iussit et ipsum nova Romanae
    iura securis tremere Oceanum.
    deflete virum, quo non alius
 20 potuit citius discere causas,

una tantum parte audita,
saepe nec utra.   quis nunc iudex
toto lites audiet anno?
tibi iam cedet sede relicta,
25 qui dat populo iura silenti,
Cretaea tenens oppida centum.
caedite maestis pectora palmis,
o causidici, venale genus.
vosque poetae lugete novi,
30 vosque in primis qui concusso
magna parastis lucra fritillo.'

13 delectabatur laudibus suis Claudius et cupiebat diutius
spectare.   inicit illi manum Talthybius deorum [nun-
tius] et trahit capite obvoluto, ne quis eum possit
agnoscere, per campum Martium, et inter Tiberim et
2 viam tectam descendit ad inferos.   antecesserat iam
compendiaria Narcissus libertus ad patronum ex-
cipiendum, et venienti nitidus, ut erat a balineo,
occurrit et ait: 'quid di ad homines?' 'celerius'
inquit Mercurius 'et venire nos nuntia'.   dicto citius
3 Narcissus evolat.   omnia proclivia sunt, facile descendi-
tur.   itaque quamvis podagricus esset, momento temporis pervenit ad ianuam Ditis, ubi iacebat Cerberus
vel ut ait Horatius 'belua centiceps'.   pusillum per-
turbatur—subalbam canem in deliciis habere adsue-
verat—ut illum vidit canem nigrum, villosum, sane
non quem velis tibi in tenebris occurrere, et magna
4 voce 'Claudius' inquit 'veniet'.   cum plausu proce-
dunt cantantes: εὑρήκαμεν, συγχαίρομεν.   hic erat C.
Silius consul designatus, Iuncus praetorius, Sex.
Traulus, M. Helvius, Trogus, Cotta, Vettius Valens,

Fabius equites R. quos Narcissus duci iusserat. medius
erat in hac cantantium turba Mnester pantomimus,
quem Claudius decoris causa minorem fecerat. ad 5
Messalinam—cito rumor percrebuit Claudium venisse
—convolant: primi omnium liberti Polybius, Myron,
Harpocras, Ampheus, Pheronactus, quos Claudius
omnes, necubi imparatus esset, praemiserat. deinde
praefecti duo Iustus Catonius et Rufrius Pollio. deinde
amici Saturninus Lusius et Pedo Pompeius et Lupus
et Celer Asinius consulares. novissime fratris filia,
sororis filia, generi, soceri, socrus, omnes plane con-
sanguinei. et agmine facto Claudio occurrunt. quos 6
cum vidisset Claudius, exclamat: ' πάντα φίλων πλήρη.
quomodo huc venistis vos?' tum Pedo Pompeius:
'quid dicis, homo crudelissime? quaeris, quomodo?
quis enim nos alius huc misit quam tu, omnium ami-
corum interfector? in ius eamus, ego tibi hic sellas
ostendam'.

ducit illum ad tribunal Aeaci: is lege Cornelia 14
quae de sicariis lata est, quaerebat. postulat, nomen
eius recipiat; edit subscriptionem: occisos senatores
XXXV, equites R. CCXXI, ceteros ὅσα ψάμαθός τε
κόνις τε. advocatum non invenit. tandem procedit 2
P. Petronius, vetus convictor eius, homo Claudiana
lingua disertus, et postulat advocationem. non datur.
accusat Pedo Pompeius magnis clamoribus. incipit
patronus velle respondere. Aeacus, homo iustissimus,
vetat, et illum altera tantum parte audita condemnat
et ait: αἴκε πάθοι τά τ' ἔρεξε, δίκη κ' ἰθεῖα γένοιτο.
ingens silentium factum est. stupebant omnes, novitate 3
rei attoniti, negabant hoc umquam factum. Claudio
magis iniquum videbatur quam novum. de genere

poenae diu disputatum est, quid illum pati oporteret.
erant qui dicerent, Sisyphum *satis* diu laturam fecisse,
Tantalum siti periturum nisi illi succurreretur, ali-
4 quando Ixionis miseri rotam sufflaminandam. non
placuit ulli ex veteranis missionem dari, ne vel Claudius
unquam simile speraret. placuit novam poenam con-
stitui debere, excogitandum illi laborem irritum et
alicuius cupiditatis spem sine effectu. tum Aeacus
iubet illum alea ludere pertuso fritillo. et iam coeperat fugientes semper tesseras quaerere et nihil
proficere.

15   nam quotiens missurus erat resonante fritillo,
    utraque subducto fugiebat tessera fundo.
    cumque recollectos auderet mittere talos,
    lusuro similis semper semperque petenti,
    decepere fidem : refugit digitosque per ipsos
    fallax adsiduo dilabitur alea furto.
    sic cum iam summi tanguntur culmina montis,
    irrita Sisyphio volvuntur pondera collo.

2 apparuit subito C. Caesar et petere illum in servitutem
coepit ; producit testes, qui [illum] viderant ab illo
flagris, ferulis, colaphis vapulantem. adiudicatur C.
Caesari ; Caesar illum Aeaco donat. is Menandro
liberto suo tradidit, ut a cognitionibus esset.

NOTES ON PETRONIUS: CENA
TRIMALCHIONIS

Trimalchio: his full name is C. Pompeius Trimalchio Maecenatianus (71. 12 n.). Being a manumitted slave, he took the praenomen and nomen of his master, C. Pompeius, like his friend Diogenes (38. 10). Pompeius is a common name in Campania (52. 3 n.); Trimalchio is his slave name; Maecenatianus shows he had originally been a slave of one Maecenas, perhaps not the famous Maecenas. Trimalchio is probably derived from *tri-*, an intensive prefix, and a Semitic word meaning 'prince', found in Malchus, Melchior, Melek, Moloch, Melchizedek, Malachi (Melkarth, Hamilcar, Melicertes?). We know T. came from the East. [Others connect it with μαλακός ('soft', 'effeminate').] There is a slave Malcio in C. E. 2086.

We know from Horace (S. 2. 5. 32) that freedmen liked to hear their new praenomen: hence the frequency with which T. is addressed as Gaius.

Ch. 26 § 7. libera cena: the last meal of a *bestiarius*, taken in public the evening before he fought with the beasts (Tert. Apol. 42)—here probably used metaphorically. **confossis**: apparently 'bruised'. 'Pounded as we were with so many bruises we felt more inclined to run away than to stay where we were' or 'pierced' (met.).

8. **quonam genere** = *quo modo*. **praesentem**, 'imminent'. **evitaremus**, '*were to* avoid': deliberative. **unus**: here, as often in colloquial Lat., nearly = an indef. article. Cf. Plaut. Ps. 948. More normally we should have *unus e servis*. (This is different from Cicero's *unus paterfamilias*, 'an ordinary householder', and Catullus's *unus caprimulgus*, 'a mere clodhopper)'. **Agamemnon**: one of the characters in the story —a 'rhetor'. **trepidantes**: agrees with *nos* understood.

9. **fiat**: '(the entertainment) takes place'. **lautus**: (colloquial) 'smart'; cf. *lautitiae*, 'elegance'. **horologium**, 'time-piece'—either sundial (*solarium*) or water-clock (*clepsydra*). [Mayor on Juv. 10. 216.] **subornatum**, 'at hand': *orno* = (often) 'provide', 'equip'; *ornamenta*, 'equipment' (e. g. ship's tackling, stage-apparatus, &c. Cf. χορηγία, -εῖν.) **quantum** ... lit. 'how much he has lost from his life'.

10. **amicimur**: used reflexively. Construe 'iubemus G. servile officium tuentem' ('performing duties of a slave'). **usque hoc** apparently goes with *tuentem*, but the text is

suspected. The words may be no part of the text, but a marginal gloss 'thus far'!—to show the scribe how much to copy out. [In copying ancient MSS. the text was often divided into portions (*pensa*, 29.6 n.) which were allotted to different copyists: the change of scribe can be detected in MSS. by change of handwriting.]

27. 1. vestiti: reflexive, 26.10 n.   **circuli**, 'groups' of loungers. Cf. 47.9 n. (and the word *circulator*, 68.6).   **russea**, 'red'.   **capillatos**: young and handsome slaves with long hair were highly prized: but T. kept them for use, as well as ornament, as we see, § 6. [Juv. 11. 147.]

2. nec tam pueri: 'nor was it so much the boys.'   *tam* goes with *duxerant*, this use of tam with the verb (here followed by *quam*) is colloquial, we should expect 'tantum . . . quantum'. Cf. 30.10, 75.8.   **operae pretium**, 'worth while'.   **pater familiae**, 'master of the house'.   **exercebatur**: another reflexive use, 26.10 n.

3. eam, i.e. the ball.   T. never picked up a ball which fell, but got a fresh one from a slave.   **sufficiebat**: *sufficio* = 'supply to fill up a gap.' So *consul suffectus* is one appointed to finish off the year of office of a consul who had died (or retired) before the end of his term.   (Cf. *subiit*, 74.7 n., *subiecit*, 59. 4.)

4. cubitum ponitis, i.e. 'recline' at dinner—probably another colloquialism; present for future.

5. at iam non . . ., 'no sooner had M. finished speaking, when . . .'.

6. tersit: cf. 57.6; St. Luke 7.38; Ar. Eq. 910 sqq.; and Mrs. Squeers. (Dante, Inf. 33 init.)

28. 1. longum erat, 'it *would have* taken too long'. Latin regularly says 'it *was* a long task' (and so we didn't attempt it). Cf. 69.7.

excipere, 'notice'.

eximus: probably perfect, a very common form (cf. *coisse*, 33.7, &c.). [The forms with *-ii-* probably nowhere occur in Cicero and good prose: they are used by poets, but obviously *metri gratia*, the shorter form predominating: see Mayor on Plin. Ep. 3. 14. 1 (but *abiisse*, &c. normally in Plautus).]

3. iatraliptes, 'masseur'.

suum propin esse: Heraeus (Rhein. Mus. 1915, reprinted in his *Kleine Schriften*) has restored this form here and at Mart. 12. 82. 11; it is a vulgar form of προπιεῖν, cf. *pincerna*.

4. gausapa: properly the material, a woollen frieze; here probably the *paenula* (St. Paul's φαιλόνης), a thick cloak to prevent him catching cold after the bath: they were used for travelling (pro. Mil. 54) and by soldiers.

involutus: cf. 'paenula irretitus', Cic. l.c., and 'paenulis, astricti et velut inclusi' Tac. Dial. 39; Mayor on Juv. 5. 79.

chiramaxio: (Gk. 'hand-wagon') very like a bath-chair; v. picture in Rich.

7. **quisquis exierit** = conditional clause, *si quis exierit*: cf. 44. 11 n., 46. 6 n.

8. **prăsinatus,** 'in green'.   cěrăsinus, 'cherry-coloured'. **purgabat,** 'was shelling' (*pisum* collective: 35. 3 n.).

9. Birds were trained to say 'salve', 'χαῖρε', &c. (Pers. Prol.). From **cavea** comes the Eng. and Fr. 'cage'.

29. 1. **stupeo,** with accus., as Aen. 2. 31.   **paene,** with **fregi,** 'I twisted round till I nearly broke my legs'.   **intrantibus,** &c., 'as one entered one saw painted on the wall'. The dative is the same as the 'dat. of person judging'. E. g. 'urbem intrantibus arx a sinistra est': cf. ὀρθῶς σκοποῦντι . . . ἦν ('recte iudicantibus . . . erat').   **quadrata litera,** 'in large capitals')(the running characters of *graffiti,* &c. Cf. *lapidarias,* 58. 7, and *quadratarius,* 'stone-mason' (or perhaps from 'opus quadratum'). Such pictures of dogs with the same inscription were common, either painted or in mosaic (*opus musivum*); examples from Pompeii may be found in many books.

2. **collegae:** here simply 'companions'.   **collecto spiritu,** 'recovering my composure' (lit. 'breath').   **persequi,** 'scan'.

3. **venalicium,** 'sale of slaves'.   **tituli,** 'notices' of the slave-dealer, describing the slaves, with their prices.   *titulus* = any short formal inscription, e. g. placard, title, heading, bill, wine label, ticket, grave-inscription, title of book on a tied-on label. Cf. 30. 3, 34. 6, &c.   **cādūcěus,** an early Lat. corruption of the Gk. κηρύκειον,— through the Doric καρύκειον, as often; hence *ā* for *η* cf. Alis (Elis), Messāna, clāthrum, Dāma, zāmia, aretālogus, Athāna, 58. 7. Properly, '*herald's* wand' (the *ě* is due to the Greek accent). The wand was perhaps in reference to Mercury as T.'s patron-god; 67. 7 n., 77. 4.   **Minerva** is brought in perhaps as protectress of arts and crafts. Many such frescoes may be seen in houses at Pompeii. See frontispiece. **capillatus** (27. 1 n.) shows T. was then young and handsome.

4. **hinc** (= *dehinc*), 'thereupon', 'after this'.   **deinque** (H), a form also used by Fronto.   **dispensator,** 'cashier'.   **curiosus.** It is P. who speaks of the 'curiosa felicitas' of Horace. **cum inscriptione,** 'with an explanatory notice', such as often accompanied ancient pictures.   (Cf. Tabula Iliaca, Bayeux Tapestry, &c.)   **reddo,** 'render an account'—by words or other means of description.

5. **in deficiente . . . :** lit. 'where the portico now began to leave off', i.e. 'towards the end'.   **levatum** (sc. Trimalchionem), 'lifting him by the chin, M. was carrying him off'. Cf. 43. 4.

6. **cornu copiosa**: lit. 'lavish with her horn of plenty'—referring to the 'cornucopia', a horn symbolical of plenty, overflowing with rich fruits, &c., often depicted in paintings. (Cf. Class. Dict., s. v. 'Amalthea'). But the phrase is strange and the text suspected. **Parcae**, the three Fates who spin the destinies of men. **pensa** (originally neut. pl. of pass. part. of *pendo* 'weigh'), the amount of wool weighed out to each slave for her day's spinning and so the allotted portion of any task. Apoc. 4. 7 'spinning'. (Cf. 26. 10 n.) **torquentes**, i.e. spinning the wool into threads, each thread representing a life. Cf. Apoc. 4.

7. **magistro**, 'trainer'.

8. **Aedicula** (ναΐσκος), small shrine in the shape of a temple-front, with a god or gods in the centre—like those of Artemis made at Ephesus (Acts 19. 24). **signum**, 'statue' (Venus was patroness of Pompeii and also of the Julian 'gens'). **ipsius**, 'of Himself' i. e., the master, a title of respect, used by slaves of their master, parasites of their patron (or *rex*), lovers of their sweethearts (often in the form *issa*). Cf. *ipsimus*, 63. 3 n., 76. 1. αὐτός in Gk. So the Pythagoreans used αὐτὸς ἔφα (*ipse dixit*) of the sayings of the 'master'—Pythagoras. The beard was shaved off in youth and carefully kept (or dedicated)—often in a precious casket (e. g. Nero's). Cf. 73. 6. Mayor on Juv. 3. 186.

9. **atriensis**: not the porter (*ostiarius*), but a sort of 'major domo', who superintended other slaves, and kept accounts, a position of trust. Cf. Cic. Paradox. 5. 36, ' in magna familia sunt alii lautiores, ut sibi videntur, servi . . . ut atrienses'. (In earlier times same as 'dispensator': Plaut. As. 2. 4; Ps. 2. 2. 15). It is not clear what is the subject of **haberent**—perhaps something is lost from the text. **Laenas**, apparently the magistrate who gave the games, rather than the owner of the troupe of gladiators.

30. 1. **rationes accipiebat**, 'was making up accounts ', i.e. receiving them from other slaves. **fasces** were sticks tied in a bundle accompanied by the *securis*, carried by lictors in front of magistrates 'cum imperio' (consul and praetor) to typify their power of summary punishment. Trimalchio as 'sevir' had right to *fasces* (cf. the lictors of Habinnas, 65. 3) but not to the *secures*. **quorum** . . ., 'one extremity of which ended in a kind of ship's beak'.

2. **sevir augustalis**: an honorary office bestowed on freed-men presiding over the worship of the Emperor.

3. **lucerna bilychnis**, 'lamp with two flames'. **camera**, 'vaulted roof'. **III.** (= *tertio*): a shorter form, for *ante diem tertium*. **C.** = Gaius, i.e. Trimalchio. **foras** for *foris*, perhaps because motion is implied. Cf. 'fui in funus', 42. 2 n.;

'in publicum', 58. 4 ('pregnant' use) : but no such explanation
applies to *foras*, 44. 14. Cf. also *Capuae*, 62. 1 n. [Cf. *erat
a balineo*, Apoc. 13. 2.] See Lindsay on Pl. Capt. 795, ed. ma.

4. The seven stars are the sun, moon, and the five planets
then known (i.e. excluding Uranus and Neptune), which had
already been identified in Italy with the days of the week.   distinguente ... , 'were marked by distinguishing studs'.   bulla
(lit. 'bubble', 42. 4), a hollow (metal) ball (e.g. the one worn by
boys as an amulet round the neck and dedicated to the Lares
at manhood, 60. 8). Here the rounded head of a nail, as
in Plautus, As. 426 'iussin' in splendorem dari bullas has
foribus nostris?' ('didn't I order the nails to be polished?').
Cic. accuses Verres (2. 4. 56. 124) of stealing gold *bullae* from
temple doors. [In Virg. 'studs of a shield', A. 9. 359.] The
ancients were very superstitious about lucky and unlucky days :
Hesiod's 'Works and Days' and Ovid's 'Fasti' are full of in-
structions on the matter. The Romans marked off lucky by
white, unlucky by black, marks (*notae*): Hor. O. 1. 36. 10.

5. dextro: it was unlucky to enter left foot foremost, as it was
to stumble: Juv. 10. 5.   sine dubio ... ceterum: μέν ... δέ

7. ceterum: adverb.   ut, 'when', or 'since'.   despoliatus, 'stripped'.

nec magnum esse: the slave's speech goes off into O. O.
as usual.

8. subducta (esse) sibi, 'had been stolen from him'.
balneo, apparently ' public bath', though generally *balneum* =
private, *balneae* = public, baths.   decem sestertiorum:
descriptive gen. 'vestimenta decem sest.' = 'ten-sesterce garments'; *not* gen. of price.

9. To have left the slave to his fate would have been a bad
omen.   oecario (οἰκάριον), 'lodge' (*precario*, H).

10. tam ... quam: 27. 2 n.

11. cubitoria (*cubo*, 'recline'), 'banqueting garments'. So
he was in the habit of going out to dinner!   cliens: the
very slaves of T. have their clients.   Tyria, 'of Tyrian
purple'—the dye of the famous 'murex': Mayor on Juv.
1. 27.   sed answers *sine dubio*: 'of Tyrian purple to be sure,
but already once cleaned'. *sine dubio* (26. 3, 36. 4), a favourite
expression of Seneca ; for Quintilian v. Peterson. It is followed
by *sed* in this way in Tac. Ann. 2. 51 and Sen. Ep. 53. 1 ; and
by *ceterum* in Tac. Ann. 1. 6 and above, 30. 7. The phrase
marks the lordly indifference of the *dispensator*. Cf. Lamp.
Heliog. 26. 1 'linteamen lotum nunquam attigit, mendicos
dicens qui uterentur'.

quid est, ' so what am I to do?' (now you beg him off). Fr.
'Que voulez-vous?' (cf. 39. 3): Caelius ap. Cic. Fam. 8. 12. 2.

dono: here like *condono*, though the acc. is generally the

offence pardoned. 'I pardon him at your request.' A slightly
different use at 58. 3. Cf. Hor. O. 3. 3. 33 'invisum nepotem
Marti redonabo'. (L. and S. *dono*: I. B. 2.)

31. 1. stupentibus (sc. *nobis*), 'before we knew what he was
at', 'to our amazement'.   spississima: perhaps we may tr.
'beslobbered us thickly with kisses'—an intentionally grotesque
phrase ('impegit' for the more normal 'impressit'). The fashion
of promiscuous kissing became a public nuisance under the
Early Empire.

2. ad summam, 'in short'.   dominicus: cf. *auris domi-
nica*, Afran. 283.

3. in manus, 'over our hands')(*ad manus*, 27. 6, 'for
washing'.   parōnychia, 'nail parings' (ὄνυξ).

		4	5	6		
		Habinnas	Agamemnon	Encolpius		
3	Scintilla and Fortunata				Hermeros	7
2	Proculus				Ascyltus	8
1	? LIBERTINI LOCUS (Diogenes)				Trimalchio	9

1. Imus in imo (lectulo).	4. Imus in medio.	7. Imus in summo.
2. Medius in imo.	5. Medius in medio.	8. Medius in summo.
3. Summus in imo.	6. Summus in medio.	9. Summus in summo.

6. acido, 'shrill'.   excepit implies he was ready and pre-
pared with his song. Tr. 'received' or 'was ready'.

7. pantomimi: in the pantomime ('ballet') the artist only
danced and acted while a chorus sang; in the mime he had
also a speaking part.   patris familiae, 'gentleman'.   crederes: the 'potential' *credas* ('one would think') thrown back
into historic time; 'you would have thought'.

8. gustatio, 'first course', 'hors d'œuvre'.   discumbo:
dis– implies that *each* went off to his *respective* seat.
Cf. § 3.   primus: the host was usually *summus in imo*.

9. prōmulsidari, 'large dish'.   asellus, 'an ass of

Corinthian bronze' (50. I n.). Though the phrase is strange, this is better than taking *asellus* as a fish (from Corinth). **bisaccium**, 'double pannier', Fr. *bésace*. **positus**, 'served up'.

10. It was customary to stamp plate with its weight, though the addition of the owner's name (except on temple property) may be a piece of vulgarity. **tegebant** (sc. *latus*), 'flanked'. **ponticulis**, 'frameworks'. **feruminati**, 'soldered' (cf. 32. 3). **Syriaca** (*pruna*), 'damsons' (orig. *damascenes*). **Punici mali**, 'pomegranate' (*poma granata*). 11. **craticula**, 'grilling frame'. — *crates dim.*

32. I. **ad symphoniam**, 'to the sound of music from the band'. **positus...**: cf. Mart. 3. 82. 5–7 ; tr. 'well entrenched by': another reading is minutissima. **expressit**: lit. 'squeezed out'. Tr. 'his appearance behind an entrenchment of cushions surprised some of us into laughter'. Sen. Ep. 110, of *dives fugitivus* in mimes, 'ut pallio velaretur caput, exclusis utrimque auribus'.

2. **excluserat**: lit. 'had pushed out his head from his pallium'. Tr. 'his head peered out from'. **laticlaviam**: (adj.) the laticlavium was properly the broad vertical purple stripe of the senators' and knights' 'tunica'. **fimbriis**, 'ornamental tassels'. The young Julius Caesar was regarded as a fop for wearing them. **hinc atque illinc**, 'on both sides'.

3. **subauratus**, 'gilt'. (How could he tell?) **veluti**, 'as it were': tr. 'a kind of iron stars'. **feruminatum**: 'inlaid', cf. 31. 10: a charm against the evil eye.

4. **cultum**, 'adorned'. **lamina**, lit. 'sheet metal'. **conexo**, 'joined', 'clasped'.

33. I. **ut... perfodit**: note the perf. (as after *postquam*) ; we should say 'when he *had* picked'. Latin regularly uses the perfect. **pinna**, 'tooth-pick' (lit. 'quill'). **dentes perfodere**, 'pick teeth'. **suave erat**: a somewhat highflown phrase, 'it was my pleasure'. **morae essem** (predic. dat.)= *morarer*, 'cause delay'.

2. **crystallinus**: they were generally of glass. **rem omnium delicatissimam**, 'the last word in refinement'. Silver denarii worth about 9*d.*, gold about £1. Cf. Ar. Plut. 816.

3. **textorum**, &c. We expect 'omnia dicta' but cf. 69. 8 n., 'omnium genera avium'. Heraeus suggests *textorum* is gen. pl. of *textum*. **gustantibus**, 'while still engaged on the "gustatio"'. **repositorium**, 'dumb-waiter'. **patentibus... alis**, 'its wings spread wide out'. **in orbem**: like (ἐν) κύκλῳ, does not imply *circular* shape, but simply = 'all round'. **quae**: the implied antecedent is *gallinae*.

5. **scaenam**, 'performance' (prop. 'stage'), implies there was something theatrical about it. **concepti**, 'half-hatched' (agrees with *pulli* understood). **si... sunt**: a condit. sent.

instead of a dep. question, as often in colloq. Latin.   **sorbilis**, 'that can be sucked'.

6. **coclear**, 'spoon'.   **figurata**, 'shaped', goes with *ova*.

7. **coisse** (= *coiisse*, 28. 1 n.) lit. 'had settled into', tr. 'the chick was already formed'.

8. **veterem**, 'experienced', 'old stager'.   **debet esse**, 'is sure to be', 'should be', for this use of *debet*, cf. 67. 7, 49. 7. **persecutus**, &c., apparently ' passing a finger under the shell'.

34. 2. **colaphis obiurgari**: not for dropping the dish, but for lowering the tone of the household by picking up such a trifle, instead of having it swept away with the other refuse.

3. **lecticarius**: prop. 'litter-carrier', which seems out of place here.   *supellecticarius*, 'slave in charge of furniture' has been proposed.

4. **subinde**, 'hereupon'.   **qui**: implied antecedent 'Aethiopes'—or perhaps 'utres' (Ethiopians never have long hair, so these must be ordinary slaves, dressed as Negroes). **spargunt**: the arena was sprinkled with *crocus* (saffron) at the games.   **dedere in manus**: (1) 'poured on our hands', 31. 3 n.; (2) 'gave for (washing) our hands', like 'ad manus'.

5. **aequum**, &c., ' M. loves fair play' (ξυνὸς 'Εννάλιος. Hom.). Distinguish *aequo Marte*.   **putidissimi**: (1) lit. 'stinking', or (2) a slang use 'rotten'—as elsewhere.   **frequentia**: lit. 'crowdedness', 'won't make the air close by overcrowding'.

6. **vitreae**: many kinds of glass were known, some quite cheap.   Pliny says it was discovered by accident, through nitre being fused by a fire—a story which T. is perhaps thinking of in his discourse; cf. 51 sqq. (Glass windows have been found at Pompeii.)   **gypsatae**, 'sealed' with gypsum, a sort of plaster of Paris.   Falernian wine—one of the best Italian vintages—is famous from Horace.   **pittacium**, 'label', 'ticket', 56. 7.   **Opimianum**: of the vintage of 121 B.C. (consulship of Opimius), a famous vintage ' optimae notae' (Cic). Note the absurdity of labelling it ' one hundred years old '.

7. **perlĕgimus**: present, after *dum*.   **complodo**, 'clap'. **homuncio**: diminutive, expresses pity.   **tangomenas**: unknown word: perhaps=τεγγομένας (a mime?); cf. τέγγε πνεύμονας (οἴνῳ), Alcaeus, which some read here ; ' wet our whistle ' is the corresponding Eng. slang.   **vita vinum est**: the alliteration points to a proverb, but we expect ' vinum vita est '.   **et**, 'and yet', 64. 2, 77. 5.

8. **larua**, (44. 5, 62. 10), generally, 'ghost', here 'skeleton', with the bones joined by springs, so that the limbs quiver at the least motion ; a *memento mori* such as is often sold on the Continent.   Cf. Plut.'s story of mummies being produced at Egyptian banquets, to point the moral 'eat, drink, for to-morrow we die', and the phrase 'skeleton at the feast'.   Tr. ' so con-

[handwritten note at bottom:] Τεγγομένη (sc. ἑορτη) - feast where the drink flows freely - 'wet'. Cp. 'uvidus' etc.

structed that its limbs and spine, being loosely fitted, turned in all directions.' [Cf. Bosco Reale cups from Pompeii, with skeletons and inscriptions.]

9. **catenatio** (*catena*, chain) = anything strung together; 'contrivance'. **figuras exprimere**, 'adopt postures'.

10. **homunciŏ** : poetry of the Empire freely shortens -*ŏ* final. 'How all mankind is naught.' **vivamus**, 'let us enjoy life'. **esse bene**, 'have a good time'. Cf. 38. 11, 61. 2 n. (Similar sentiments occur on tombstones, 43. 8 n. Cf. Appendix A.)

35. 1. 'Our compliments were followed by a course certainly not as ample as we had expected.'

2. **signa**, 'signs of the Zodiac'. **proprium**, 'dishes proper and suitable to the subject ' (of the device, the ' signa '). The appropriateness of some of the dishes is enigmatical, and not worth the ingenuity expended on explaining it. **structor**, had to arrange (*struo*) the dishes and set the table (*penum struo*, Aen. 1. 704). The Zodiac idea is in Alexis ap. Ath. 60 A.

3. **arietinus:** shaped like a ram's head. **bubula:** beef (*bos*). (Cf. *anatina*, 56. 3, *ovilla*, 56. 5.) **cicer, ficum :** collectives, cf. *rosa:* 28. 8. **sterilicula :** meat from a barren sow.

4. **stateram :** (στατήρ) 'scales'. **pisciculum, the '** scorpion-fish '. **oclopēctam** (*oculus* + πηκτός) ' with fixed (staring) eyes ', ('eye-fixer') an unknown fish.

6. **clibanum** (κλίβανος), ' oven '. **Laserpiciarius**, 'gatherer of silphium ', (a product of Cyrene), was the title of a mime. (Mimes were almost the only flourishing form of drama in P.'s time.) **extorsit**, 'wrung out'. (Cf. *expressit*, 32. 1.)

36. 3. Marsyas contended in music with Apollo, and on being defeated was flayed alive as a punishment for presumption. (v. Class. Dict.). His skin was hung in a cave, whence began to flow the river Meander (from his blood). So the gravy here flows from the *utriculi* which were supposed to be made of the skins of the four statuettes. (Marsyas was a favourite subject of sculpture—a famous example standing in the Forum at Rome.) **euripo :** any narrow channel, particularly that between Boeotia and Euboea ; at Rome used of a narrow (artificial) channel of water flowing round the Circus ; here a channel round the dish.

5. **non minus,** *nihilo minus* (§ 7), cf. 31. 6. ' Similarly.' **methodio**, 'trick' cf. Eph. 4. 14, 6. 11 μεθοδείας τοῦ διαβόλου: Suidas, μεθοδεύει· τεχνάζεται, ἀπατᾷ. **Carpe :** for the sake of the pun, tr. ' Hackett '.

6. **scissor**, ' carver '. **essedarius**, gladiator in British costume, who fought in *esseda* or British (Gallic) Chariot. **cantante**, ' playing '. ' You would have thought he was a charioteer in the circus, fighting to an organ accompaniment.' Hydraulic organs were invented by Ctesibius, one of the great

scientists of Alexandria (ab. 250 B. C.) ; Nero was very fond
of them and even invented a device to increase the volume of
sound.   hydraules, 'organist'.

7. ingerebat, 'bawl out', (lit. 'pile on').   lentissima,
'drawling' (?).   supra me, 'on my left' (see diagram).
Carpe. He was called Carpus (cf. 2 Tim. 4. 13), of which the
voc. is also the imperative of *carpo*. Trans. 'Hack it,
Hackett!'

37. 1. longe accersere, 'plunge more deeply into my in-
quiries', so ' arcessitus' is used = 'far fetched'.

2. modio: cf. Hor. S. I. 1. 95.   A proverb, probably with
reference to a folk-tale.   modo, modo: Plin. Ep. 3. 7. 11.

4. nunc (cf. νῦν δέ), 'but as things are'.   nec quid nec
quare, 'without why or wherefore'.   in caelum, 'she's exalted
sky-high'.   topanta: (τὰ πάντα) 'all in all', 'right-hand'.
Hdt. I. 122 ἦν οἱ ἐν τῷ λόγῳ τὰ πάντα ἡ Κυνώ. Marx on Lucilius
613. The conversation of T.'s friends is full of vulgarisms.

5. ad summam: 31. 2 n.   mero meridie, 'at pure (i.e.
full) noon'. The expression is chosen for the jingle (mer- mer-,
cf. 'rhyme or reason', 'willy-nilly').

6. saplutus (corruption of ζάπλουτος), 'very wealthy' (s for
ζ in Vulg. Lat., cf. Introd. I (c)).

7. lupatria: unknown word, apparently implies 'sharp and
shrewish'. Tr. 'sharp as a needle'. [Perhaps from *lupa*:
cf. πορνεύτρια, ἑταιρίστρια.]   sicca sobria: note alliteration
and asyndeton, marking a proverbial phrase: perhaps we may
translate 'right and tight'.   tantum ... vides, 'worth her
weight in gold', or 'look at all this gold' (38. 5).   pica pulvinaris: (alliteration) 'like a magpie on the pillow' for chatter.

8. qua milvi volant, 'as far as the kite flies', proverb.
Cf. 'quantum non milvus oberrat' (Pers. 4, 26), and Juv.
9. 55.   nummorum . . .: 'money upon money'.   quisquam: 'anybody (else)', 38. 15 n. in fortunis, 'for his entire
wealth'.

9. familia: the slaves.   babae (παπαῖ): *exclamatio ad-
mirantis*: cf. Varro's Sat. Men. 'Papaepapae ἢ περὶ ἐγκωμίων'
(where Büch. reads *papia papae*).

10. babaecalis, 'nabobs': perhaps from "βαβαὶ" καλεῖν;
cf. σοφοκλεῖς, 'flatterers' (*laudiceni*), from "σοφῶς" καλεῖν;
cf. 40. 1. Or from "βαβαὶ καλή !", the ejaculation of admiration.
Arnobius seems to use it of a dissolute young man.   in
rutae, &c, 'beat into a cocked hat', 58. 5. 'In an auger hole',
Shaks. It perhaps refers to a folk-tale—' make to feel as small
as a Tom Thumb'.

38. 1. nascuntur, 'grows on the premises', a stereotyped
phrase.   credrae (κέδρος) ; for *cedrae*: [Eng. 'citron' comes
from *citrus*, another form of κέδρος]. Vulg. Lat. is apt to insert

or transpose 'r'; cf. the various spellings in MSS. of *flagrans*, *fragrans*, *fraglans*, &c.; *frustum* and *frustrum*; *culcitras* below; so Eng. 'frail' (basket) and 'flail' are the same word. **lacte**: vulg. and archaic for *lac*. For the phrase, cf. ὀρνίθων γάλα, 'pigeon's milk' (Starkie on Ar. Vesp. 508).

2. **eos culavit in gregem**, 'crossed the (original) stock with them': text doubtful.

3. Attic honey from Mt. Hymettus was prized as being flavoured with the thyme which grew there.   **vernaculae**: (properly of slaves, 'born in the house': cf. *verna*) 'home-born'. **a Graeculis**: i.e. by mixing the breed and improving the stock. [N.B. diminutives.]

4. **intra hos dies**: (a numeral is usually inserted) 'within the last (few) days'.   **illi**: in class. Latin, *sibi*. (Introd.) The **onager** is said by Pliny to make the best sire for breeding purposes.   **nam**: 'why!' Cl. Rev. 1952. 10 n.

5. **culcitras** = *culcitas*: cf. § 2 *credrae* (note).   **beatitudo**, 'such is his happy situation'.   *beatus* often (particularly in Horace) means simply 'wealthy'.

6. **sucossi** (*-osi*), 'juicy', i.e. 'wealthy': the spelling with -*ss*- is more correct etymologically.

7. **imo**, sc. *lectulo*.   **octingenta** (sestertia) = 800,000 sesterces, £8,000.   (With regard to Roman fortunes, cf. Friedländer: 'The purchasing power of money in wheat was six times what it is at present (about 1890–1900), but as the cost of manufacture was high, we cannot multiply private fortunes by six'.)

8. **quomodo** = *quemadmodum*.   **pilleum rapuisset**: a bit of folk-lore common in all countries; a mortal steals a garment of a fairy, &c., who, to recover it, bestows miraculous properties. Cf. Porph. on H. Sat. 2. 6. 13 'sunt qui eundem (sc. Hercules as god of luck) Incubonem esse velint'. (This is hardly a reference to 'wishing caps'.)

9. **sub alapa**: a slave on manumission received a symbolic box on the ear (*alapa*). So perhaps 'hasn't yet forgotten his box on the ears'. Better read *subalapo*, 'a bit of a boaster'. **vult sibi male**; 'stints himself'; cf. 'bene se habuit', below, § 11.

10. **oecum** 'room' (Vitr., etc.).   **proscripsit**, 'advertised for sale' (cf. § 16 and Appendix).   **ex kalendis**, 'from the Kalends onwards'. He lets the garret where he formerly lodged, having bought a house. July 1 was the annual rent day for Roman houses.   **Diogenes**: cf. note on 'Trimalchio', p. 87.

11. **quid ille**: tr. *quid* 'again'—a common formula of transition.   **libertini loco** (*imus in imo*): Romans arranged guests by rank, 65. 7 n.   **bene se habuit**, 'had a good time'; colloquial, 34. 10.   **impropero**, 'blame'; common in vulg. and Eccl. Latin.   **suum** seems to agree with the whole

phrase 'decies sestertium', taken as a single sum, hence neut. sing.—'his 1,000,000'—the senatorial census.   **vidit**, 'has seen in his day'.   **vacillavit**: perhaps we may say 'come a cropper'. Cf. Cic. Cat. 2. 10. 21 'in vetere aere alieno vacillant'.

12. **non puto**, 'I don't think the very hair of his head is free (from debt)'.   **ad se fecerunt**, 'appropriated'.

13. **scito autem**, 'I tell you what it is: your partners' pot gets cold, and once your business takes a turn for the bad, off go your friends.' Cf. the Gk. proverb (Zenob. 4. 12) ζεῖ χύτρα, ζῇ φιλία. Others take it differently, comparing the Jewish proverb 'A pot which is the common property of partners is neither hot nor cold', i.e. 'if you want your pot to boil attend to it yourself'. **inclinari**: prop. 'lean over' before falling.

14. **quod**: adverbial acc. *quod eum sic vides = qualem eum vides*, 'just as you see him', 'in spite of present appearances'. Cf. 58. 14.

15. **libitinarius**, 'undertaker', from Libitina, goddess of funerals, at whose temple the funeral equipment was hired. **opera pistoria**: elaborately shaped confectionery. (Cf. brides-cakes.) One is described at 60. 4.   **apri gausapati** are unexplained ('boars in blankets'), 28. 4 n.   **pistores** follows oddly. 'Piscatores' has been suggested.   **quam aliquis**: like 'quam quisquam', 37. 8, cf. 44. 13 (*alter*); but *aliquis* = 'many a man', *quisquam* = 'anybody': or *ali-quis*? 45. 4 n. (Note the stock phrases and proverbs of T.'s friends.)   **phantasia**, 'luxury personified', 43. 3 n.   Cf. Acts 25. 23 (φαντασία).

16. **illum**: cf. *illi*, § 4 n.   conturbare (*rationes*), 'go bankrupt'.   Proculus, the Gk. Πρόκλος (slave-name): the other names show he had been a slave in the Julian family. **supervacuarum**: he was only getting rid of some 'surplus stock'!

39. 1. **vino . . . ,** 'began to indulge in wine and general conversation'.

2. **suave faciatis**, 'do justice to' (cf. 48. 1), or, 'improve its flavour', by good conversation: 'the fishes we've eaten must swim, so drink plenty'. Mart. 5. 78. 16 'vinum tu facies bonum bibendo'.

3. **rogo**: here followed by direct question (parataxis), instead of the usual dependent (hypotaxis); a colloquialism. Cf. Introd.   **sic notus Vlixes**: Aen. 2. 44.   'Don't you know Ulysses (i.e. me) better than that?', i.e. 'did you think that was all I had for you?'   **quid ergo est** (cf. 30. 11 n.). Perhaps we may here tr. 'What do you expect?' 'que voulez-vous?'   **nosse**, 'air our knowledge'.

4. **patrono**: the late master of an enfranchised slave became his 'patron'.   **nihil novi . . . afferre**, 'nobody can teach me anything new'.   **fericulus** = *ferculum* (vulg. Lat.): cf. 60. 7,

68. 2, &c.; for -*i*- inserted, 57. 8 n. **habuit praxim,**
'proved' (?).

5. **caelus** (v. Lat. = *caelum*). Of course this exposition is
all wrong, though there were as a matter of fact twelve chief
gods at Rome, the 'Di consentes' as in Ennius' lines:

> Iuno Vesta Minerva Ceres Dīana Venus Mars
> Mercurius Iovi' Neptunus Volcanus Apollo.

illo signo: abl. of circs. almost an abl. abs.   **frons**, 'seat of
shame'.   **expudoratam**, 'shameless'.   **cornum**: 2nd decl.
masc. or neut. (= *cornu*).   **arietilli**: unknown word.
Perhaps (1) Pugnacious disputants, or (2) 'ungrateful', in
reference to a Gk. proverb, κριὸς τροφεῖ' ἀπέτισεν.

6. **mathematici**: as usual = 'astrologer'.   **calcitrosus**
(= *calcitro*), a 'kicker'.

7. **bigae**, apparently the horses. 'Whitewash two walls from
one bucket' is a Roman proverb = 'kill two birds with one stone':
'duo parietes de una fidelia dealbare.'   **utrosque**: plur. as
often in Silver Latin.

8. **hoc . . . illoc**: vulgar pronunciation of *huc . . . illuc*,
'this way and that'. Cf. 57. 11 &c., *istoc*.   **quadrat**: lit. 'fits',
'squares', i.e. 'is at home'.   **posui**: we should expect
pono; the expression is a brachylogy = 'iamdudum nihil pono,
et nunc nihil posui'.   **genesim,** 'sign of my birth'.   **premerem,** 'weigh down'; so 'spoil', 'eclipse'.

9. **cataphagae**, 'gluttons'.

10. **lanio** (= *lanius*) 'butcher'.   **expediunt**: apparently
'sell off', 'do business' (cf. 62. 1); perhaps *expendunt*.

12. **prae**: construed by T. with acc.; cf. 46. 1 (only in
Petron.).   **cucurbitae**: cf. Ap. Met. 1. 15.

13. **ut**: consecutive. For *mali facit* Rohde conj. *molifacit*.

15. The ancients in general put the earth in the centre of the
heavens.   **corrotundatus**, 'rounded'.

40. 1. **sophos** (σοφῶς): 37. 10 n. For Gk. exclamations in
Lat. cf. bravo, encore, &c., in English.   **Hipparchus**, the
founder of scientific Astronomy, second century B.C.   **Aratus**
wrote very popular Gk. didactic poems on astronomy, translated
by Cicero and others.   **donec**: cf. 55. 4.   **toralia**, 'valances'.
subsessores, 'hunters lying in wait'.

2. **quo mitteremus**: lit. 'in which direction to send our
suspicions', i.e. 'what to make of it'. Cf. 54. 5.   **Laconici**: hunting dogs: Virg. G. 3. 405.

3. **pilleatus**: wearing the 'pilleus', cap worn by slaves at
manumission.   **dentibus**, 'tusks'.   **caryota**, 'walnut-
shaped date'.   **thebaica**, 'Theban date': 'fresh and
dried dates'.

4. **coptoplacenta** (κοπτοπλακοῦς), 'pastry-cake', 45. 9 n.
scrofam: the boar was seen to be a sow which had just had

young ones.   apophoreti : presents were given at parties
'to be taken away' (ἀποφόρητα) by the guests. They often had
mottoes attached. Martial has a whole book of mottoes, a
glance at which will show the kind of presents usually given.

5. fasciis cruralibus, 'puttees'.   He was dressed as a
hunter.   alicula, 'short cape'.   polymitus: lit. 'of
many strands'. Cf. samite, dimity, from ἑξάμιτος, δίμιτος.

6. harundo, 'twig (with bird-lime)'.

7. suum cuique referre, 'his own share to be distributed to
each'.   quam . . . lotam, 'how dainty', 26. 9 n.

8. ad numerum, 'equally' ; lit. 'according to number' of guests.

41. 1. privatum secessum, 'retired corner'.   diductus,
'distracted'. di- indicates conflict of ideas: cf. Virg. Aen. 5. 720.

2. bacalusias: (βαυκάλησις, lullaby?) perhaps 'nonsense'
like nenia. 'After trying (lit. exhausting) all sorts of silly
guesses.' Cf. barceolus, βάκηλος.   duravi, 'hardened my-
self' followed by inf. Cf. 'non erubui', 36. 7.   A somewhat
strange expression, but probably sound. Cf. Lucan's famous

victurosque dei celant, ut vivere durent,
felix esse mori, 4. 519.

quod me torqueret, 'the question which was tormenting me'.
We should expect torquebat, as this is a simple relative, but
interrogo so strongly suggests an indirect question, that the
writer illogically (and perhaps unconsciously) drops into the
subjunctive. [Contrast 50. 7 n.]   etiam servus : hyperbaton.

4. summa . . . vindicasset : lit. 'the chief course had
claimed him', i.e. he had been reserved for the pièce de
résistance. Cf. 66. 7 'in summo'.   dimissus est : cf. 'missionem dare', 52. 5, 66. 7. 'missionem do' = (1) to excuse,
(2) to free, (3) to grant life to a beaten gladiator.

5. honestos, 'decent society'. Cf. 34. 7.

6. Bromium (βρέμω, roar); Lyaeum (λύω, release), 'the
Releaser' (from care), cf. Liber ; Euhium (εὐοῖ, a Bacchic
cry), are three aspects of Dionysus (Bacchus).   modo . . .
interdum = modo . . . modo, 'at one time . . . at another'.
confessus : here 'imitate' like profiteor (cf. Aen. 2. 591).
calathiscus (calathus), 'small basket'.

7, 8. T. says 'now imitate Bacchus as Liber'; the boy, taking
it as 'liber esto', dons the cap of liberty. T. adds a new pun,
'you can't deny I've a free father'.   perbasio, 'caress'.

9. libertatem sine tyranno : (prov.) 'free field'.

10. pataracina, 'bumpers' (patera, acina—'ebriosa acina',
Cat.) ; to ask for bigger glasses was to drink 'graeco more' and
hardly considered good form. Cf. H. Sat. 2. 8. 35 'et calices
poscit maiores'.   rectā (sc. viā, or something similar ; abl. of
'road by which'), 'directly', 'straight', 58. 13.

11. **mundum**: lit. 'neat' (slang) 'we've had a tidy frost'. **calda**: vulg. form of *calida*. So Tiberius Claudius Nero (the emperor Tiberius) was nicknamed Biberius Caldius Mero (from *merum*). Places where the drink was sold were called thermopolia. **vestiarius**, 'clothier', 'a hot drink is as good as an overcoat: I had one or two stiff ones, and I'm absolutely fuddled: the wine's got into my head'.

12. **staminatas**: not yet explained: see Addenda. **matus**: madidus:: flaccus: flaccidus. **vinus**: vulg. for *vinum* v. Introd.

42. 1. **excepit**, 'took up'. (Cf. 31. 6.) **fullo**, 'is as bad as a fuller' ('takes the starch out of you', as we say).

2. **dentes habet**: as we say, 'stings', 'bites'. Cf. 44. 1 *mordet*. **cor**: (lit. 'heart') 'the vitals', 59. 2 n. **pultarius**, 'tumbler'. **laecasin dico**, 'consign to the dickens'. **lavare** = *lavari*. **in funus**, '*at* a funeral'. **in** here takes acc. because 'motion to' is implied. ('Pregnant' use) 30. 3 n. **tam bonus**: *tam* can hardly be translated, though we do say 'such a decent fellow!' **animam ebulliit**: lit. 'boiled over his spirit', a slang use, hardly more dignified than 'kicked the bucket'. Cf. 62. 10. (Apoc. 4. 2 ; Persius 2. 10.)

4. **utres**, 'we're so many inflated skins walking about'. Cf. proverb ' homo bulla est ' (Varro). **minoris**, 'of less value', generally of price. Cf. Herond. 1. 15 ἐγὼ δὲ δραίνω μυῖ' ὅσον.

5. **micam**, 'crumb'. **abiit**, &c., ' went over to the majority ', died. Cf. Pl. Trin. 291. **fatus**: (vulg. for *fatum*) ' luck '.

6. **vitali lecto**, 'funeral couch'. Cf. *vitalia*, 77. 7. **aliquot**: sc. *servos*.

7. **accepisset**, 'treat'. **mulier quae mulier**, 'a true woman'. The proverb looks like part of an iambic line. **neminem nihil**: one negative is redundant (a vulgarism ; cf. 58. 5, 76. 3), 'nobody should do (a woman) a good turn'. [*neminem* is by some taken = *nullam*, which will be direct obj. of '(nihil) boni facere', but we should expect dative, as after *benefacio* and other verbs of benefiting: but cf. εὖ ποιεῖν + acc. in Gk. and 'aediles male eveniat', 44. 3. See Introd.] **aeque est ac si**, 'it's just the same as if ...'. With the verb 'to be' we should strictly have *aequum* (61. 2 n.). **conicias**: sc. ' your kindness '. **cancer**: (1) crab, because it sticks, or (2) the disease because of its painful nature.

43. 1. **molestus**, 'a bore' as often (46. 1). **ille habet ...**, 'he has his due' or 'fate'. **sibi** would normally be *ei*. **quid habet ...**, 'what has he to complain of'. **ab asse crevit**: cf. 38. 7. **quicquid crevit**: lit. 'whatever he grew', i.e. 'such as he did grow'.

2. **solida centum**, 'a cool hundred (thousand sesterces)'. **nummis**, 'cash'.

3. To 'eat a dog's tongue' was apparently supposed to make

one truthful.   durae . . . , 'he was a man of biting tongue, quarrelsome, strife personified, not a man'.   Cf. 44. 6 ('piper non homo'), 38. 15, 58. 13, 74. 13; Headlam on Herond. 6. 4.

4. manu plena, uncta mensa : (Apoc. 4. 2) 'open-handed and of lavish hospitality'.   **inter initia,** 'to begin with'. **malam parram pilavit,** 'struck a bad vein, but set himself on his feet again at the first vintage'.   *parra*: a bird of ill-omen, Hor. O. 3. 27. 1 ; hence *mala*, 'unlucky'.   *pilo* = 'pluck'; cf. 62. 12 'compilatus'.   **quantum,** vulg., for gen. of price.   **mentum sustulit** (cf. 29. 5), 'set his head above water'.   **involavit,** 'pounced on' (cf. 58. 10), lit. of a bird 'swooping down' on its prey.   Cf. Cat. 25. 6. (Hardly from *vola,* 'palm of hand'; see Ellis *ad loc.*)

5. stips : (vulg. for *stipes*, a block) 'dolt': cf. *codex*, 74. 13. **terrae filio,** 'nobody's son', of those of obscure birth)('filius de aliquo', Sp. *hidalgo.*   **elegavit,** 'willed away'.   **longe fugit,** &c., 'you must fly far to escape your kin'.   A proverb, the title of one of Varro's 'Saturae Menippeae'.

6. oracularios : i.e. confidential: but note the emendation *oricularios* (*auricula*) as Vulg. 2 Sam. 23. 23.   **tamen verum** = *verum tamen,* 'however'.   **frunitus est:** vulg. Lat. pf. of *fruniscor* (= *fruor*)—here as often in vulg. Lat. governs accus. Cf. 44. 16, 75. 3.   **Fortunae filius:** H. Sat. 2. 6. 49.

7. quadrata, 'on all fours', i. e. 'smoothly'.   **secum tulisse:** common in inscriptions, e. g. 'viginti tecum nam fers non amplius annos' (hexameter). Cf. Appendix A. 25.   **corneolus,** 'hard as horn' ('as nails', we say).   **olim oliorum,** 'time and time ago', cf. 'nummorum nummos', 37. 8, and the Eccles. Latin 'in saecula saeculorum', a Hebraism ; Sidgwick on A. Sept. 852, Pl. Cap. 825, Enn. Sc. 56.   Salonius, p. 26.

8. pullarius, 'fond of the girls' (*pullus*, lit. 'a chicken'). The MS. has *puellarius.*   **omnis Minervae homo,** 'a Jack of all trades'.   Cf. 'omnium musarum', 68. 7.   M. was goddess of arts and crafts (29. 3): cf. 'invitā Minervā'.   **hoc solum . . .,** i. e. 'the pleasure he had in life was all he took with him to the grave', a common sentiment in pagan epitaphs, 34. 10 n.

44. 1. quid = *quantum.*   **mordet** ('stings', 'pinches'): indic. because the question is made direct, instead of gram-matically dependent on *curat* (parataxis), v. Introd.

2. buccam, 'mouthful'.   **annum,** 'for a year'.   **esu-ritio,** 'famine'.

3. aediles male eveniat, 'the aediles, curse them !' There is no grammatical construction of *aediles* ; it is the logical, not grammatical, object of the sentence, but v. note on 42. 7; for a remarkable illustration of the sentiment, cf. Appendix, Insc. 3 *b* and *c.*   **serva:** 45. 13 n.   **populus minutus,** 'the small fry'.   Cf. 'minuta plebes', Phdr. 4. 6. 13.   **maiores**

maxillae, 'big-nobs'.   **Saturnalia agunt**, 'keep holiday'.
Saturnalia (in Dec.) was the ancient Christmas, accompanied
by good cheer and presents; the slaves participated in the
festivities.   Cf. 'non semper Saturnalia erunt' (Apoc. 12. 2).

4. **leones**, 'sports', or, as we say, 'dogs'.

5. **similia sicilia**: the words are probably meaningless and
corrupt.   It is suggested that they stand for 'si milia, si cilia'
(χίλια).   **laruas**: properly 'mask', 'ghost' (cf. 34. 8, 62. 10);
here in contempt, (masc.), 'guys': Pl. Merc. 981, Cas. 592:
γοργεία γυμνά (a conj.), Cic. Att. 4. 18. 1.   **percolopabant**: from
colap(h)us (Fr. *coup*).   'Knocked them about till it was a case
of heaven help them', i.e. they looked 'god-forsaken', θεοῖς
ἐχθροί: H. Sat. 1. 1. 20.   Cf. 58. 2 ult.

6. **Safinius**: local (Osc.) form: Lat. *Sab-*.

7. **micare**, 'play the game of *morra*': 64. 12 n.   **in
tenebris micare**: a sign of confidence: Cic. Off. 3. 77.

8. **pilabat**, 'trounced'.   Cf. 43. 4.   **schemas**: vulg. form
of *schemata* (figures of speech), 45. 9 n.; 'no flowers of speech,
but downright'.

9. **ageret** (*cum populo*), 'address a meeting'.   **tanquam
tuba**: i. e. the sound increased in volume.   **Asiadis**: not
explained.   A brilliant conjecture is *assi a dis*, 'had something
dry (in his constitution) from the gods'.   But see p. 132.

10. **nomina reddere**, 'answer you by name', which particularly pleased the common folks; hence candidates and
other popularity-hunters had *nomenclatores*, whose business it
was to remind them of people's names.   **pro luto**, 'dirt-
cheap', 67. 10.

11. **quem emisses** = *quandocumque emisses*, 'when*ever* you
bought'.   Cf. 46. 6 n.   When an action is repeated, the subordinate clause expressing the action in Silver Latin takes an
impf. or ppf. subj. (like Gk. optative of indefinite frequency),
where Cicero would use pf. indic. of present, ppf. of past, time.
oculum bublum (= *bubulum*), 'bull's eye'; perhaps the name
of a very small 'cob', as found at Pompeii.

12. **retroversus**, 'grows backward like a cows tail'.
coda: vulg. for *cauda*.

13. **trium cauniarum**, 'an aedile of three figs' (descriptive
gen.)—as we say 'not worth a fig'.   **cauniae**: for *cauneae* (Intr.
p. 19) sc. *ficus*: figs from Caunus, opposite Rhodes. Cic. Div. 2. 84.
alter, 'another', i.e. 'any one else', 38. 15 n. (*quam aliquis*).

14. **coleos**, 'manliness': Pers. 1. 103.   **sibi placeret**, 'be
stuck up'.   Cf. 46. 5 n.   **foras**: = class. *foris*, 30. 3 n.   For
the proverb cf. Ar. Pax 1189 ὄντες οἴκοι μὲν λέοντες, ἐν μάχῃ
δ᾽ ἀλώπεκες.

15. **quod ad me attinet**, 'as far as concerns me'.   **pannos comedi**: i. e. sold them to buy food.   **casulas**, 'bit of

a cottage' taken by edd. as real plur. but surely = singular, as in 46. 2. (On the analogy of *aedes?*)

16. **ita meos fruniscar**: lit. 'so may I enjoy (the society) of my kin', 43. 6 n. **diibus**: vulg. for *deis* (cf. *deabus*).

17. Fasts were not unknown to the Romans, especially in honour of Ceres (who is the goddess concerned here), 'ieiunium Cereris'. **opertis oculis**: because so wrapped up in money-making; once they covered the *head* to pray (a Roman custom).

18. **urceatim**, 'in bucketfuls' (*urceus*, 'a pitcher'). Cf. *viritim*, *grad-atim*, *ubertim* (72. 1). Adverbs in -*tim* are a mark of old and colloquial Latin. **plovebat**: vulg. for *pluebat*. **udi tamquam mures**, 'wet as drowned rats'; the ceremony referred to is called *nudipedalia* (cf. *aquaelicium*). **lanatos**: not satisfactorily explained. Saturn's feet were wrapped in wool except at Saturnalia, perhaps because his reign was over. So here perhaps the idea is the gods were 'shelved' and their statues neglected. But cf. Porph. on Hor. O. 3. 2. 31 'deos iratos pedes lanatos habere quia nonnunquam tarde veniunt nocentibus': 'avoir les pieds en dentelle', Ernout.

45. 1. **centonarius**: probably a maker of ' centones', blankets which when soaked in water were used to extinguish fires. Cf. Caes. B. C. 2. 9. **oro** with direct command: parataxis; 39. 3 n. **melius**: i. e. 'don't use words of bad omen', εὐφήμει, 'bona verba, quaeso', T. And. 1. 2. 33 (Donat.). **modo sic, modo sic**, 'now this way, now that, as the countryman said when he'd lost his spotted pig'. Does it mean that life is chequered like a spotted pig? Cf. Epid. 17, Tru. 219, Pac. 307 R., C. Att. 1. 17. 6.

2. **vita truditur**: lit. 'life is pushed on', i. e. 'one event crowds on top of another'. Cf. Hor. 'ver proterit aestas' and 'truditur dies die'.

3. **si homines haberet**, 'if it had the men; but the country's badly off as things are now'. **hoc tempore**: probably abl. abs. 'times being thus'. **caelus**: 39. 5 n. 'Everywhere we're in the middle of the sky', i. e. of the dome or vault of heaven: one place is pretty much the same as another. Or perhaps 'medius caelus' means the sky is between us and the gods.

4. **alicubi**: = *ali + quobi* (old loc. of *quis*) *any*-where. Cf. *ali-quis*, 'any-body'; *ali-quando*, 'any time'. But we want the sense 'anywhere *else*', and so some read *aliubi*, which though really the same word as *alicubi*, has the required sense. **porcos coctos . . .**, 'pigs walked about ready roasted', a common sight in all 'Lands of Cockayne', e. g. as described in the Greek comic poets (ap. Athen. 267 *e*), Lucian (iii, pp. 294. 305, 312, Ed. Teub. VH. 2. 13), and Heine's Heaven in 'Reisebilder', where 'roast geese fly about with gravy-boats in their bills'; so too in medieval literature. Cf. 'Water Babies', chap. 6,

ad fin. **excellente:** vulg. for *excellens*; cf. 38. 1 (*lacte*). **in triduo:** 'in three days', cf. Pl. Ps. 316; more usual is *intra triduum*. The MS. has 'inter duo' so that 'in terduo' may be the right spelling here ('terduum' for 'triduum'). **familia:** 'troupe of gladiators'. **lanisticia:** belonging to the 'lanista', the trainer of professionals.

5. **caldicerebrius** (41. 11 n.), 'hot-headed'. Hor.'s *cere-brosus*. Cf. 58. 4. **quid utique,** 'something, at all events'. **quid** = *aliquid* (popular; often in Varro): better *erit quid*. **domesticus** = *familiaris*. **mixcix** (*misceo*): perhaps from mixed (diluted) wine; 'he's not half-and-half', 'he goes the whole hog': or else 'changeable' like 'miscellio'.

6. **carnarium,** 'a regular butcher's shop' (lit. meat-safe, or pantry). **amphitheater, tricenties:** vulg. forms. **habet unde** (sc. *solvat*): as we say 'has the wherewithal' to pay. Fr. 'Il a de quoi'. **tricenties:** multiply by 100,000 numeral adverbs, with sestertium expressed or understood. **male:** probably 'untimely'. **ut,** 'though' concessive. **quadringenta:** 400 × 1,000 sesterces. **patrimonium:** subj. of *sentiet*. [Notice *ille* thrice in three lines.]

7. **Manios,** 'rustics': Manius, an old-fashioned name. 'Multi Manii Ariciae' (cf. Wise men of Gotham). **delectaretur:** depon. for active. Cf. 64. 2, 46. 1 n. Introd. Tr. 'was making himself agreeable to'. **amasiunculus,** a 'gallant'. **zelotypus** (Gk.), 'jealous'.

8. **sestertiarius,** 'worth only 1 sesterce', i.e. 'a poor creature'. Cf. *dupundiarius*, 58. 5, 74. 15 (58. 4); *besalis*, 58. 5 (44. 13 n.). **coactus est:** his mistress encouraged him. **matella:** slang. 'Jezebel', 'hussy'. **potest:** sc. *caedere*. He couldn't punish the wife, so sacrificed the slave.

9. **filix:** perhaps 'an ill-weed' that grows apace, like a fern (*filix*); 'neglectis urenda filix innascitur agris', H. Sat. I. 3. 37 or, (possibly) contemptuous diminutive ('wench') of *filia*; cf. *iuvenix, matrix*. **ille:** sc. Hermogenes. 'Could have cut the claws of a kite as it flew', proverbial of sharp practices. Cf. Grimm's 'three Brothers'. Here it is a case of 'like father, like child', which is expressed by saying 'snakes don't beget ropes' (part of iambic line?). **suas:** sc. *poenas*. Cf. τὴν ἀξίαν. **stigmam:** the Gk. neut. in -*a*, becomes fem. in vulg. Lat. as at 69. 1. P. also uses *stigmosus*, which implies the fem. noun. Cf. *schemas*, 44. 8. The metaphor is from branding. Cf. 69. 1 and 53. 12 n., 70. 6 n. [For the formation of a new Latin nominative from the Greek oblique cases, cf. *placenta* 40. 4 n. (πλακοῦς), *statera* 67. 8 (στατήρ), *strabonus* 68. 8 (στράβων), and many names of towns, e. g. Agrigentum (Acragas), Tarentum (Taras), Beneventum = Maleventum = Μᾱλόϝεις.]

10. **subolfacio,** 'have an inkling' (lit. 'smell').   **quia** and
quod in vulg. and late Lat. constantly introduce noun-clauses
which in class. Lat. would go in the acc. and inf. construction.
Cf. 46. 4, 71. 9.   **binos denarios,** 'two denarii each for me
and my set'—probably a *sodalicium* or guild ; a common
practice. The price is that of the dinner.   **vinciturum :**
vulg. for *victurum.* 'To win with full sails' = our phrase
' win at a canter '.

11. **gladiatores** were highly trained, **bestiarii** common
criminals, condemned to the beasts. (Cf. 'Christiani ad leones'.)
de lucerna : said to = 'as small as figures on a lamp'. Cf.
52. 3.   **burdubasta :** (*burdo,* 'mule'+βαστάζω, 'carry') tr.
'carthorses '.   **loripes,** 'club-footed'.   **tertiarius** (or *sup-
positicius,* Gk. ἔφεδρος) : the 'third man', who took the place
of the one killed in the first duel. So he was 'mortuus pro
mortuo'.   'One corpse stepping into the place of another',
i. e. he had no more fight in him than the dead man he replaced.
nervia = *nervos.*   **praecido** = 'hamstring': he was so
weak-kneed, he seemed hamstrung.

12. **flaturae,** 'of some spirit'.   **Thraex :** gladiator armed
like a Thracian with round shield and dagger : he fought the
'murmillo' or 'Gallus', who was armed like a Gaul.   **ad
dictata pugno,** 'fight by word of command', i.e. 'per-
functorily '.   In ancient as in modern fencing, the thrusts were
numbered and called out by the trainer, hence our terms,
'tierce ', 'quart', &c. Cf. *dictata reddo,* 'repeat a lesson',
H. Ep. 1. 18. 13 : commoner is 'numeri', Juv. 6. 249; Quint.
10. 1. 4 and often.   **secti,** 'flogged', for fighting badly.
adeo . . ., 'so loud did the mob call out "Give it 'em "'.
adhibete is obj. of *acceperant,* the subj. being the gladiators.
adhibete, 'apply'; sc. *verbera.*   **acceperant,** 'heard the
words'. **fugae :** abstr. for concrete, 'runaways'. [Cf. Sen. Ep. 7. 3 ff.]

13. **munus,** 'show'.   'et ego tibi plodo . . . lavat':
Echion's reply to Norbanus.   'You gave a rotten show : I ap-
plaud : *you're* the gainer. Hand washes hand', i.e. 'you get your
quid pro quo.'   **manus,** &c. (Apoc. 9. 6) : proverb denoting
reciprocity : 'one good turn . . ., &c.'   Cf. *serva me, servabo te,*
44. 3.   **plōdo :** *au* is pronounced *o* in vulg. Lat., as in Mod. Fr.
Cf. *ex-plodo, copo, coda,* &c. (v. Introd.).

46. 1. **Agamemnon :** 26. 8 n.   **argutat,** 'talk twaddle'
(57. 8), properly of fine-spun arguments ; act. for depon.
argutus (properly p. p. of *arguo*), 'fine-spun', 'fine', 'clear',
'shrill'.   **molestus :** 43. 1 n.   **loquere, loquis :** vulg. Lat.
plays havoc with deponents, 45. 7 n., v. Introd.   [The MS.
has 'qui potes loquere, non loqui'. Perhaps we should transpose, thus : 'qui potes loqui, non loquere'.]   **non es . . .
fasciae,** 'you're not of our set' (lit. 'bundle'), i.e. 'you're

too good for us'. Cf. *nostrae prosapiae, farinae*, &c. **pau-**
perorum = *pauperum*, It. *povero*.

2. **prae** (with acc.): 39. 12 n. It is generally used in negative
and quasi-negative sentences denoting cause. Here it is used in
the same sense in a positive sentence. 'You're mad with learning.' **quid ... est**: 30. 11 n. **te**: in class. Lat. 'tibi'. **die**:
fem. as 45. 4, 72. 4. **dispare pallavit**: corrupt; tr. 'made
havoc of'. **discipulus**, 'to be your pupil' in rhetoric. **cicaro**:
perhaps a vulg. form of Cicero, the typical orator 'my budding
orator' (cf. vulg. It. *Ciciarone d'Arpino*). But it may be a separ-
ate formation from *cicer*, with termination -*o*, 58. 11 n.; and so
a pet name denoting diminutive size, 'dandiprat'. [The proper
name was no doubt *originally* derived from *cicer*.] Bücheler
derives *Cicero, cicaro* both from CAR 'increase' (*cre-sco*, &c.).

3. **quattuor**, 'says his 4-times' (table), lit. '4 parts', i.e.
'¼ part', *division*, not multiplication; e.g. parts of an 'as',
percentages, &c. Cf. Hor. A.P. 325; 58. 7 n., 75. 4. **quic-**
quid ...: lit. 'whatever time is unoccupied'. **bono filo**,
'good stuff'. **morbosus**, 'mad on birds'. So νοσεῖν, e.g. ἐπὶ
τοῖς μέλεσι τοῖς Εὐριπίδου | ἄμφω νοσοῦσι. (Com. Frag.): Summers
on Sen. Ep. 79. 4.

4. **cardeles** = *cardueles* (cf. Ital. *cardello*), 'goldfinches'.
quia: 45. 10 n. **mustella** (-*ela*), 'weasel' (γαλῆ), the
ancient equivalent of the domestic cat. For more interesting
facts about the history of the cat cf. Mayor on Juv. 15. 7.
Cats were unknown to the ancients. **nenias** (lit. 'dirge',
'singsong'), 'hobby'; in 47. 10, 'commonplace trifles'.

5. **Graeculis**: (sc. *litteris*) 'has made a good start in Gk.'
appetere, 'take to'. For Greek before Latin v. ch. 5; Quint.
I. I. 13, I. 4. 1. **sibi placens**, 'self-willed', 'self-satisfied',
αὐθάδης, 44. 14. **sit**: we expect *est* as the supposition is not
imaginary, but cf. 71. 1. **consistit** (sc. 'the boy'). **venit**,
dem litteras: parataxis, 39. 3 n., 44. 1 n.; hardly 'comes asking
me to give him something to read', but, making the master subject throughout, 'asks for secretarial work'. **litteras, 'cheque'?**
(Ov. A.A. I. 428.)

6. **alter**: sc. *magister*: E. has only one son. **quicquid**
dederis = condit. sentence (*si quid d.*) hence fut. pf. Cf. 28. 7,
44. 11, 53. 8. It was usual to eke out the scanty pay of school-
masters with presents.

7. **rubricata**, 'with rubrics (or headings) in red', as the
'rubrics' in the Prayer Book should properly be. These were
law-books, with the chapter-headings (*tituli*) in red. Juv. 14.
192; Pers. 5. 90. **libra**: vulg. for *libros*. **domusio**, 'home
use' (*domus, utor*). **habet ... panem**, 'there's money in it'.
inquinatus: usually 'befouled', here 'tinged' (*imbutus*).
We say 'dabbled'. **resilierit, 'kicks against it'.** **arti-**

ficii: if sound, is on the analogy of the genitive after *doctus*, *docilis*, &c. Perhaps a word (e.g. *aliquid*) has dropped out. causidicum: practitioner for profession: cf. ἐδιδάξατο αὐτὸν σκυτέα, X. Mem. 4. 4. 5. Cf. 56. 1 n.; Heraeus on Mart. 5. 56. 9.

8. Phileronem: (as if from *Philero*) vulg. for *Philerotem* (or *-ota*), acc. of *Phileros*. Cf. 63. 1. Perhaps the Phileros of 43. 1 and 44. 1 is a different person. Norbanus: the popular magistrate of 45. 11. thesaurum: vulg. for *thesaurus*.

47. 8. in medio . . . laborare: lit. 'feel tired half-way up the hill'. quod aiunt: shows it is a proverbial expression. Tr. 'we were only half-way through'. capistrum, 'muzzle'. nomenculator = *nomenclator* (not the one mentioned 44. 10 n.); apparently a slave who explained the contents of the dishes, serving the purpose of a menu; like Nomentanus at the feast of Nasidienus. H. Sat. 2. 8. 25.

9. petauristarios: (Juv. 14. 265) from πέταυρον (perch), 'acrobats'. An acrobatic performance is described, chs. 53-4. circuli, 'crowds' round jugglers, &c., in public places. Cf. 27. 1. *corona* is used in the same way except that it implies some one in the middle, which *circulus* does not necessarily.

10. penthiacum, 'hash', from Pentheus who was torn to pieces by Bacchants. nenias: 46. 4 n.

11. decuria, a 'class', 'division', e.g. of civil servants, soldiers, jurymen ('panel'). T. has so many slaves they have to be subdivided like an army.

13. ponas, 'serve it up'. viator, 'runner'; originally attendant of magistrates (aediles, &c.), who had no lictors (30. 1 n.): here = *cursor*, 28. 4.

48. 1. potentiae: gen. after *admonitum*, a verb of reminding. obsonium, 'the cooking of the dish', subject of *duxit*. bonum faciatis: cf. 39. 2. For T.'s erudition cf. Sen. Ep. 27 (Calvisius).

2. non emo, 'I never buy'. facit ad, 'tends to'. salivam, 'to make the mouth water'.

3. The growth of vast slave-worked estates ruined the Italian farmers, the backbone of the Roman state and army, and spread through the provinces; e.g. Pliny the Elder says half the province of Africa was held by six landlords. agellis, 'bit of land'; playful diminutive. Africam: the preposition with names of countries is often omitted in vulg. Lat.

4. narro: in colloquial Lat. simply = 'tell'. So *narro tibi*, 'I tell you what!' controversiae, 'debates'; argumentative speeches of the schools of rhetoric; the pupils take different sides on a question (e.g. of law). In *suasoriae*, on the other hand, a view is stated and recommended, or an audience addressed. The practice of declaiming had become a perfect nuisance, and satirists, moralists, and literary critics are never tired of attacking it, especially for its uselessness and

unreality. It vitiated the prose, and still more the poetry of the Empire.   **studia fastiditum** : (depon. for act.) 'turn up my nose at book-learning'.   **III bybliothecas**: so MS.; an absurd reading, and so probably right.   **peristasim**, 'theme', a technical term : he mentions a stock theme.

5. **quid est pauper** : T. affects not not even to know the name of poverty.   **urbane** : probably adverb. Cf. Apoc. 2. 3.

6. Of course it was a **controversia** in the technical sense. T.'s remarks are not to be taken too seriously. Cf. Sen. Contr. 5. 2.

7. **rogo . . . tenes** : parataxis, 39. 3 n.   **numquid** = *ecquid = num*.   **aerumnas** : an old-fashioned word (Quint.). **Cyclops** : T. as usual is confused.   **poricino** : prob. 'tongs' (*por(r)icere*) : the cyclops was a smith.

8. **Cumis** : there were many Sibyls, of which Virgil's Cumaean Sibyl is the best known. [If 'Cumis' is sound, the scene of the 'Cena' cannot be Cumae.] The Greek means 'Sibyl, what do you want?' 'I want to die.' The point seems to be that the Sibyl had grown so old and shrivelled, like ' She ', that she lived in a bottle and longed to die, but could not. Cf. Tithonus ; Duff on Juv. 3. 3 ; Frazer on Paus. 10. 12. 8 ; Ov. F. 3. 534.

49. 3. **tanto magis quod**, 'the more so because'.

4. **exinteratus**: (vulg. for *exenteratus*) from ἔντερα, entrails. **in medio** = *in medium*, 62. 1 n.

5. **putes** : ('potential' subjunctive) 'you'd think he'd merely forgotten the seasoning', from the casual way he speaks of 'forgetting'.

7. **crudelissimae severitatis:** descriptive gen. not depending on a noun, common in Silver Latin. Cf. 57. 1.   **debet esse,** 'must be' (it seems). Cf. 33. 8 n.   **oblivisceretur** : delib. subj.—the *historic* form of 'aliquis obliviscatur?' (lit. 'is any one to forget?'), an indignant question. (31. 7 n.) 'To think that any one should forget!'   **piscem,** 'had it been only a fish he'd forgotten to clean'.

9. **recepta**, 'receiving back'.

10. **plagis**, 'from the slits which widened from the pressure of the weight'.   **botulis**: 66. 2 n.

50. 1. **automatum,** 'contrivance': 54. 4.   **feliciter**: sc. *eveniat.* 'Cheers for Gaius', i.e. Trim.   **Corinthea** = *Corinthia* (sc. *aera*); Corinthian bronze, said to contain an alloy of gold or silver, was most valuable.

2. **habeam**: consec. subj. *solus sum* (like *pauci sunt*) is a 'virtual negative', so *qui* has the subjunctive (as it would in French).

4. **forsitan** in classical prose takes subjunctive.

5. **nesapium**: cf. *nescius*, 63. 9 n.; *serisapia*, 56. 8.   **stelio** = *stellio*: properly a lizard marked with a star; here 'rogue'. Pliny actually says that Corinthian bronze was discovered through bronze being accidentally melted down with gold and silver

vessels in the conflagration at the sack of Corinth by Mummius, 146 B.C. This is absurd: some of the most famous specimens were made long before 146. However, T., as usual, manages to improve on the story.   **factae sunt in unum,** 'were all fused together'.   **aera** seems to be in apposition with 'unum'.   **miscellanea,** 'mixed'.

6. **massa**: proper term for molten metal.   **catilia, statuncula**: vulg. forms, 'plates', 'statuettes'.   **paropsis,** 'dish'. **ex omnibus,** 'a mixture of all sorts, neither one thing nor the other'.

7. **quid**: we expect 'quod', but T. puts it as a question, and instead of making it dependent, goes on with the indicative. Cf. Hom. ἦ νεμεσήσεαι ὅττι κὲν εἴπω. However, the whole is too irregular and confused for strict analysis (contrast 41. 2 n.). Cato R.R. 147, 'dominus vino quid volet faciet'.   **olunt**: vulg. for *olent*. ('consuluit nares an olerent aera Corinthon', Mart. 9. 60. 11.)

51. This story is referred to by Pliny and told at length by Dio, from whom we learn that the Emperor was Tiberius. [This shows that the 'Cena' cannot be put in the time of Augustus, for even if this story is apocryphal, it is inconceivable that it could ever have been told of the mild Augustus.]

1. **non frangebatur,** '*could* not be broken': so *invictus*, 'unconquerable', &c.

2. **Caesarem,** 'the Emperor', acc. governed by *ad* in *admissus*. Not a Ciceronian use.   **fecit**: as we say, 'made as if to hand it'.   **proiecit,** 'dropped'; so 52. 4.

3. **non pote valdius quam expavit.** To understand this cp. Hor. 'immane quantum discrepat'. If this were = 'immane *est* quantum', we should have a dep. question in indic., a usage which cannot be admitted in Hor. Odes. ('It is wonderful how it clashes'.)   Horace must have felt it as = 'discrepat—immane quantum'. 'It clashes, it is wonderful how much.' So too, here, 'non pote valdius quam' is really parenthetical: 'he feared—it is impossible (to fear) more (than)'; 'non pote valdius quam' = *valdissime*. So this apparent tangle may be explained somewhat as follows:

> non-pote-valdius-quam expavit
> = expavit, non pote valdius (quam)
> = expavit, non pote-est valdius (quam)
> = non potest valdius (expavescere) quam expavit
> i.e. it is not possible to fear more than he feared.

Cf. 'Il sera on ne peut plus intéressant' (Maupassant).   **pote**: an old (and vulg.) form of *potis*. [N.B. *potis* and *pote* are *both indeclinable*— NOT masc. and neut. respectively: so *mage* = *magis, amare = amaris,* &c.]   *Pote = pote est = potest* = 'it is possible' (an unclassical meaning).   **collisa,** 'dinted'. **vasum**: vulg. for *vas.*

4. martiolum = *marteolum* (by-form of *martulus*), on analogy of *malleolus*. **sinu**: fold of garment used as pocket. **otio** = *per otium* , 'at leisure'.

5. soleum Iovis tenere, 'was in the seventh heaven'. Hor. Ep. I. 17. 34. **soleum** = *solium*. Cf. *corintheus, martiolu*s. **conditura**, 'preparation', 'process'.

6. vide modo, 'but hold on a minute'. **enim**: (*not* 'for') strengthens *quid*, an archaic use; cf. *sed enim, etenim*. **pro luto**: 44. 10 n.

52. 1. urnales, 'holding an *urna*', three gallons, ½ of a *congius*. **plus minus**: asyndeton, more *or* less, a common phrase. **quemadmodum**, '(showing) how'. T. here, like Mr. Silas Wegg, gets slightly confused !

2. ubi, 'in which'. Here T. surpasses himself.

3. Hermeros and **Petraites**: gladiators (71. 6). Petraites, probably a Campanian (Oscan) form of Tetraites, who appears on the Graffiti (v. Appendix); cf. the forms Pomponius, Pompeius, Pontius (= Lat. *Quintius*, &c., Gk. πεντ-). [Petreius, Petronius, Lat. *Quart-*, Gk. τετρ-.] **meum intelligere**, 'my knowledge'. This use of inf. as noun (apparently a colloquialism) becomes common in Silver Lat., e.g. Persius, 'scire tuum nihil est, nisi te scire hoc sciat alter' (I. 27): ' Hoc ridere meum, tam nil, nulla tibi vendo | Iliade' (I. 122).

4. nugax (*nugae*), 'trifler', 'bungler'. **orare**: historic inf.

5. tamquam: 28. 5 n. **suadeo . . .**: lit. 'I beg you to bring yourself not to be such a bungler'. **suadeo**: 39. 3 n. (parataxis). **missionem dedit**, 'excused': 41. 4 n.

7. excipimus, 'receive (with applause)'. **revocaretur**, 'was to be invited again'. The historic and dependent form of *revocer*? 'am I to be invited?' (deliberative subj).

8. ebrio proximus: cf. Eng. 'next door to drunk'. **cordacem ducit**, 'dances the κόρδαξ', the lively dance of Greek comedy—a most unladylike proceeding: Ter. Ad. 752. [Cf. κόρδακα ἕλκειν—always of a 'pas seul'.]

9. exhibebat, 'imitated'. μάδεια, &c.: not yet explained—nor yet why he put his hands over his forehead.

10. prodisset: 28. 1 n. (*eximus*). **dixerit**, 'must *have* said'; 'Potential' subjunctive.

11. tam inaequale (*quam T.*), 'you never saw anybody waver so'.

53. 1. urbis acta: the official 'Daily Gazette' (*acta diurna*) started by Jul. Caesar giving the chief news of the day in a dry, bald style, probably very like T.'s as given here (cf. the 'London Gazette'). As a matter of fact, the Emperors were very jealous of imitation, fearing possible rivals, and many men lost their

lives for less than this.   T. would be safe because of his humble
birth. Cf. now the *Fasti Ostienses* (Bursian, JB. 1932, p. 145).

  2. sextiles = August. From this date (the action of the
'Cena' takes place at the beginning of January; cf. 30. 3, 41. 11,
58. 2) it is thought this is a half-yearly account. This is un-
satisfactory; as many of the items of the budget obviously refer
to *one* day only, either P. forgot himself, or we have here the
traces of an abridgement of the text.   **tritici:** enough to feed
10,000 adults one year (Friedländer).

  3. genio: it was customary to worship the 'genius' (almost
= 'guardian angel') of the Emperor; to speak disrespectfully,
much more to curse his 'genius' would mean death. [Christians
often suffered death for refusal to worship the Emperor's
'genius'.] Gaius here, however, is Trimalchio.

  4. collocari, 'invest'.   **centies:** 100 × 100,000.

  5. Pompeianis, not 'of Pompeius', T.'s late patron, 30. 2, 52. 2,
but 'at Pompeii'; cf. Cumano, § 2 : T. would not *buy* P.'s property.

  7. in rationem, 'been entered into your accounts'.

  8. fuerint: 46. 6 n.   **vetuo:** vulg. for *veto* (influenced by
the pf. *vetui*).

  9. saltuarius, 'game-keeper': if they were slaves, it was an
act of grace to allow them to make a will; even if freedmen,
T. would have a legal claim on part of their property. The
point here is T.'s magnificent indifference.   **elogium,**
'codicil'.

  10. Baiae: a delightful seaside resort a few miles away; not
a very severe punishment!   The *dispensator* was tried by the
cubicularii.

  11. baro: 63. 7 n.   **odaria salto,** 'dance accompaniment to
songs' (*fabulae salticae*, such as Lucan wrote).   **salto** takes
cognate acc. of the kind of dance. Cf. Hor. 'Cyclopa saltare'
(Sat. 1. 5. 63), 'dance the Cyclops' (*odărium* = 'song').

  12. trica: a new nom. formed from the acc. τρίχα.   Note
change of declension in Greek loan-words in vulg. Lat.   Cf.
schema, stigma (Introd.), 45. 9 n. *trīca,* as *brăchium, Ācheruns.*

  13. Atellaniam: Atellanae (sc. *fabulae*), so called from
Atella, a Campanian town from which they were imported to
Rome, were native Italian farces, whereas most Latin Comedy
was based on the Greek. We see here that comedies were
acted in Greek also; this was not uncommon under the early
Empire (Friedländer, *R. Life,* ii. 99 E.T.).   **cantare:** T.
makes the flute-player play 'in Latin'—whatever he may have
meant by that (cf. 64. 5).

  54. 1. cum maxime, 'just when . . .'. Reid on Cic. De Sen.
38; Summers on Sen. Ep. 12. **Gaio:** i.e. Trimalchio.

  2. concurrēre: pf. indic.   **medici:** slaves of T.   **miseram**
. . . : i.e. she cried out 'me miseram!', 'me infelicem!'

3. missio: 41. 4 n. **pessime mihi erat,** 'I was worrying'. **catastropha,** 'coup de theâtre'. καταστροφή is properly the 'denouement' of a play—the sudden reversal of fortune, which the ancients, with Aristotle at their head, so admired in a play. **exciderat:** sc. *memoriae* (cf. 56. 10).

55. 1. **in praecipiti:** lit. 'at the sheer edge' of a precipice— ready to fall one way or another (cf. Juv. 'omne in praecipiti vitium stetit', i.e. 'is paused at a climax', cf. Sen. Ep. 23. 6. **essent:** impf. because *garrimus* is historic present.

2. **sine inscriptione,** 'without being recorded'. **cogita-tione distorta,** 'racking his brains'.

3. **ex transverso,** 'contrarily' (lit. 'cross-wise'). **nostra** et = *et nostra*.

4. **summa carminis,** 'the highest place in poetry'. **memo-rata est . . .:** lit. 'is mentioned as being with M.', i.e. 'as belonging to him'. There was no such poet. **donec:** cf. 40. 1.

5. **magister:** Agamemnon. **Publilius Sўrus:** as we see from the name, an enfranchised slave; he wrote mimes in the first century B.C., which were highly prized, particularly because of the *sententiae*, or maxims, which they contained. A collection of such *sententiae*, which were used for teaching purposes, together with the present quotation (probably genuine: the technique, e.g. alliteration and ending *lápideos*, is archaic), comprise almost all we have left.

6. line 1. **rictu,** 'gaping chink'. The 'walls of Mars' = Rome. (*ructu* has been conjectured by P. Thomas.)

l. 2. **palato,** 'for your gluttony'. **clausus,** 'cooped up' (like Strasburg geese for *pâté de foie gras*. Mayor on Juv. 5. 114).

l. 3. **Babylonico:** a noun, 'Babylonian tapestry', with rich oriental designs.

l. 4. **gallus spado,** 'capon'.

l. 6. **pietaticultrix:** practising *pietas*, i.e. faithful mother. **gracilipes,** 'thin-legged'. **crotalistria:** it rattles with its beak like *crotala* ('castanets', from κροτεῖν) or perhaps with its wing-feathers like the snipe. [The ancients thought the swan's music was caused by the wind blowing through its wing feathers. (Hom. Hym. 21; Ar. Av. 772; Anacreont. 59. 9; Pratin. 1. 5, &c.)] Cf. Mayor on Juv. 1. 116; who quotes Ov. Met. 6. 97 'ipsa sibi plaudat crepitante ciconia rostro'.

l. 7. **titulus,** 'warrant'; properly 'title-deed'.

l. 8. **nequitiae:** apparently dependent on *nidum*, referring to man's gluttony. **modo,** 'lately' (in the time of Publilius).

l. 9. **quo:** (lit. 'whither') 'to what end'; a verb, such as *petis*, must be supplied. Cf. Hor. Ep. 1. 5. 12. 'Quo mihi Fortu-nam (sc. *promittis*) si non conceditur uti', a recognized idiom.

l. 10. **ad quam rem** = *quo* of l. 9.

l. 11. Carchedonios = Carthaginian. Carthage (Καρχηδών) was famous for carbuncles.

56. 1. putamus: delib., in 1st. pers. a quite Ciceronian use. **medicum, nummularium:** probably nouns. Cf. 46. 7 n.

3. anatīna, 'duck's flesh' (cf. *ovilla*, 56. 5; *bubula*, 35. 3). **per argentum aes videt,** 'sees the copper through the plating' in false coins.

4. panem: oxen tread corn as well as draw the plough.

5. aliquis, 'a man eats the very beast from whom he gets his coat'. These moralizings, feeble as they are, are not much inferior to those interspersed in Pliny's Nat. History. **ovilla,** 'mutton'.

7. de negotio deiciebat, 'was throwing out of work' by philosophizing himself. **super,** 'in charge of'. **apophoreta:** tr. 'prizes' (40. 4 n.). [The 'pittacia' (34. 6 n.) are different from the mottoes referred to in 40. 4 n.]

8. argentum sceleratum: the *acetabula* were silver, and the ham suggests σκέλος. **cervical** (*cervix*) is represented by a 'piece from the neck'. **offla:** 58. 2 n. **serisapia et contumelia: serisapia,** ὀψιμαθία; cf. *nesapius* (50. 5), 'late-learning'; the next is corrupt, but *contus—mālus* is clear enough.

9. porri et persica: the leek is represented by a whip (cf. Ar. Ran. 621); **persica,** as if from *per-seco* (but cf. 'sica'), by a knife; **muscarium** ('fly-flap') by honey, a death-trap for flies. **cenatoria et forensia:** properly 'dinner-clothes and city-clothes' (30. 11 n.). **canale:** perhaps 'tube'. **pedale:** the joke has never been properly explained; perhaps *canale* and *pedale* were not words at all, but coined for the surprise. **lepus:** because hunted with dogs (*canis*). **solea,** 'sole' (fish), suggests 'foot'. **muraena:** i.e. *mus*+*rana*. **littera:** i.e. β.

57. 1. licentiae: descriptive gen. 49. 7 n., 'a man of unrestrained pertness'.) **usque ad lacrimas,** 'till he cried'. **berbex** (= *vervex*; cf. Fr. *brébis*), 'sheep'. Vulg. Lat. constantly confuses V and B. For *vervex*, 'blockhead' cf. <u>Juv. 10. 50 'vervecum patria'</u> (Abdera).

2. convivare: act. for deponent. (The sentence is of course ironical.) **tutelam:** abstract for concrete, 'protecting deities'. A.'s laughter was an insult to them. **illum:** i.e. Asc. **balatum duxissem,** 'knocked the bleating out of him' (?).

3. bellum pomum, 'nice cup o' tea'. **qui rideatur,** 'to laugh at others', depon. for act. **larifuga,** 'runaway' (*lares, fugio*); cf. *herifuga*. **fervere** = *excandescere* of § 1. He says the same in 58. 4. **in molle . . . :** (proverb) 'The mildest man can fly into a rage if he 's roused' (?).

4. fetum emit lamna, 'buy his son for cash', i.e. 'are you more precious than anybody else's son?' **lamna** (= *lamina*, 'sheet-metal'): slang for 'money' ('tin'). Cf. § 6 and 58. 8.

Note syncope: cf. § 8 n.   eques ...: i. e. 'I'm as much a
king's son as you're a Roman knight'. (The passage is usually
taken seriously; A. wore the ring of a Roman knight.)   tributarius, 'a tributary king'; one of the small princelings
(especially in the East) who maintained their throne by sub-
servience to Rome, paying tribute, &c. (as in Judaea). [Cf. Plin.
Ep. 8. 6, Tac. Ann. 12. 53 (Pallas), Pl. Ps. 1171.]

5. assem aerarium: just as we say 'a brass, farthing'.
constitutum: sc. *diem. constituo diem* (fix a day for appearance in court) = 'summon'.

6. glaebulas (diminutive of *glaeba,* 'a clod'), 'bit of land'.
lamellulas: diminutive of *lamella,* itself a diminutive of *lamina*
(§ 4 n.).   ventres pasco, 'keep slaves': cf. Juv. 3. 167.
redemi: freedmen often married women who had been slaves
with them (71. 2).   manus tergeret, &c., 'make cheap of her',
27. 6 n.   sevir: 30. 2 n.   gratis: the usual fees were re-
mitted as an honour.

7. The reference is to the fable of men having their faults
in a bag *behind* them, so that each sees his neighbours', not
his own.   (Catullus 22. 21.)   pēduclus = *pēdiculus (pēdis),*
'louse'.   For syncope v. next note; for the *-u-* cf. 65. 11 n.
ricinum, 'tick'.

8. ridiclei = *ridicli = ridiculi.* For the syncope cf. *peduclum, offla, lamna, periclum* (Fr. *péril*). On the contrary *-i-* is
inserted in *fericulus,* 39. 4 n. (Introd.).   magister: note the
construction 'ad sensum': 62. 11.   maior natus = *maior
natu,* an illogical variation: so in inscriptions, 'annorum . . .
natus'.   lacticulosus, 'just weaned'.   mu, &c., 'can't say
boo to a goose'. Cf. *muttio,* 61. 2.   argutas: 46. 1 n.   vasus =
vas (vulg.).   fictilis, 'of cheap earthenware'.   lorus =
lorum (vulg.).   Leather in water is 'flabby' (*lentus*).

9. poposcit, 'dunned', a classical use.   annis: we expect
acc. but the abl. is not rare with numbers even in classical Latin.
capillatus: 27. 1 n.

10. dignitosso, 'dignified'; for spelling cf. 38.6 n. This
and maiesto ('majestic') are vulg. formations.   pedem
opponerent, 'try to trip me up'.   hac illac: asyndeton.
(Introd.)

11. gratias: sc. *ago.*   athla (ἆθλα): lit. the 'prize' in a
contest.   ingenuum nasci. Cf. Beaumarchais: Figaro says
to his master 'vous vous êtes donné la peine de naître' (and
straightway become a person of importance.)   istoc = *istuc*:
vulg. and archaic.

58. 1. ad pedes stabat: as slave (26. 10); such were called
'a pedibus'.   As the guests reclined, their feet would stick out
behind. Cf. 64. 13, 68. 4.

2. cepa cirrata (*cirrus,* 'curl'), 'curly onion'.   cepa: vulg.

for *caepe*. G. was 'capillatus', § 5, ult.   **io Saturnalia**: the revellers' cry. He pretends to think G. a real slave; slaves were allowed liberties at the Saturnalia (44. 3 n.) in memory of the Saturnian or golden age. Hence 'december est'. As the date is early in January the Saturnalia are just over.   **vicesimam**, sc. *libertatis*; a 5 per cent. tax on a slave's value paid at manumission.   **quid faciat**: something is lost before these words.   **crucis offla . . .**, 'tit-bit of the cross, crow's food', addressed to G. in the character of a slave; crucifixion was a punishment of slaves; the crows would peck the flesh from his bones.   **offla**: diminutive of *offa*, 'morsel', by syncope (57. 8 n.); usually *ofella*.   **curabo**: with parataxis, 39. 3 n., lit. 'I'll see to it', i.e. 'I warrant'.   **Iovis**: vulg. and archaic for Iuppiter, cf. 62. 13 n.   For phrase cf. 44. 5 n. and § 7 infra. **isti**, &c., 'and your master too, who doesn't check you'.

3. **coniiberto**: i.e. Trim.   **dono**: 30. 11 n.; 'make this concession', i.e. 'I won't punish you, out of respect to our host'. **depraesentiarum** (cf. *praesentem pecuniam reddere*, 'pay on the spot'), 'I'd have settled with you on the spot' (74. 17).   (More common is *impraesentiarum*.)   **bene nos habemus**, '*We* are all right, but as for those good-for-nothings . . .'—aposiopesis.

4. **caldicerebrius**: 45. 5.   **recte**, 'all right!' a threat; 74. 17.   **in publicum**: 30. 3 n. (*foras*); accus. because he means 'when we *get* outside'.   **terrae tuber**: cf. 'levior horti tubere', 109. 10: 'truffle', hence Fr. *tartuffe*: Chapelain to Boileau: 'un champignon sorti de la terre en une nuit'.

5. **nec sursum . . .**: i.e. 'I don't grow at all'.   **deorsum** merely to complete the saying.   **non**: twice redundant; 42. 7 n. **rutae**: 37. 10 n.   **conieci** is hard to explain; we expect the fut. pf. It apparently shows the completeness and instantaneousness of the operation of 'knocking him into a cocked hat'. (The reading is doubtful.)   **parsero**: vulg. for *pepercero*, 61. 8 n. **curabo . . .**, 'I'll see your paltry bit of hair and your twopenny-halfpenny master aren't of much use to you'.   **longe sit =** *longe absit.* Cf. O. Met. 8. 435, V. Aen. 12. 52.   **besalis =** *bessalis.* (*bessis =* two-thirds of an 'as'.)

6. **auream**: like the gods: Pers. 2. 58.

7. **Athāna =** Athena; from the Doric form, like many Greek loan-words, 29. 3 n.   **curabo**: § 2 n., cf. 5.   **deurode fecit**, 'put the come-hither on you', Ar. Eccl. 952 (δεῦρο δή).   **geometrias**: the plur. probably only shows the speaker's ignorance.   **alogias** (ἀ-λόγος), 'senseless', but if = ἀλογίας, should be a noun, as Apoc. 7. 1.   **menias** (corrupt) will then stand for an adj. Perhaps we should read *nenias*, 46. 4 n., or 'Menenias' (Hor. Sat. 2. 3. 287).   **lapidarias**, 'on inscriptions' (i.e. capitals)— as we might say, 'I can read print'—but not writing.   (Cf. *quadrata*, 29. 1 n.)   **partes centum**, 'I can say my percentage

tables, fractions, weights, and money', 46. 3 n. **nummus =** *sestertius nummus.* Here the question is one of calculating interest. *partes centum* = $\frac{1}{100}$ per month = 12 per cent. per annum. (Roman interest was reckoned by the month.)

8. **sponsiunculam** ('bet'): sc. *faciamus.* He wants to make a bet on guessing riddles, to show his education, and puts down the stakes (*lamnam*, 57. 4 n.). **exi,** 'come on!' **quamvis:** often takes indic. in Silver Latin. The riddle is a trochaic tetrameter, the metre of popular poetry, 'who of us (am I that) come far and come wide: guess me'. If this is a question, *qui* should be *quis*; but cf. 62. 8.

9. **dicam tibi,** 'I'll ask you another'. The answers are (probably), (1) foot, (2) eye, (3) hair. **curris:** (metaphorically) 'you're all over the place'. **satagis** (*sat ago*): lit. 'have enough to do', i.e. 'are in a flurry' (same as *curris*). So of an orator who jumped about, 'Afer non agere dixit, sed satagere' (Quint.). Cf. 'satagei et sibi molesti', Sen. Ep. 98. 8; M. Aur. in Fronto, Ep. 4. 11 ('worried'); Arnob. 19. With **mus in matella,** 'a mouse in a pot', cf. μῦς ἐν πίσσῃ, Herond. 2. 62, Plaut. Cas. 140.

10. **natum non putat:** i. e. ' is unaware of your existence '. Apoc. 3. 2. **nisi si:** a common redundancy. **involasti:** 43. 4 n. For box rings, cf. ὅρμους ὑποξύλους, Xen. Oec. 10. 3.

11. **Occupo:** god of Opportunity (cf. *occasionem occupo,* ' I seize a chance '). For termination cf. *Incubo,* 38. 8, *Cerdo,* 60. 8; *baro,* 53. 11; and *cognomina* like Cicero, Naso, Capito, &c. N.B. *habeam* is understood. **iam scies,** ' you'll soon see this plain iron ring of mine has good credit '. **volpis** (= *vulpes*) **uda:** i. e. G. who looks uncomfortable as a wet fox (cf. 44. 18).

12. **ita . . . faciam:** there is great confusion of expression here. He might have said: (1) ' ita l. faciam ut . . . fuero **persecutus** ' (= *persequar,* fut. indic.), cf. 44. 16; *or* (2) 'ne l. faciam nisi . . . fuero persecutus', cf. 61. 3. But he combines (1) and (2), and inserts, ' ita bene moriar ut populus . . . iuret', with *ita . . . ut* in a quite different (consecutive) use, which throws the whole sentence into hopeless confusion (for *ut* the MS. has *aut*—which makes things still worse). **populus iuret:** i. e. his death would become a byword and people say, 'So may I die like Hermeros' (the speaker). **togā perversā persequi:** perhaps just 'rag bald-headed', but the death-penalty was so announced (Sen. de Ira, 1. 16. 5).

13. **bella . . .,** 'Your master too is a nice sort of fellow'. **mufrius:** unknown. **sunt vestra . . .,** 'are your things all right? Then straight home! don't look round; don't be rude to your elders' (*maledico* should gov. dat.). The boy was taught manners, not so much 'book-learning'. **rectā** (sc. *via ite*): 41. 10 n.

14. **numera mapalia:** corrupt. **mapalia:** (*mappāl*, Punic

s.) 'tumble-down cabins' in the poorer quarters of Carthage. Cf. Aen. 4.259. Seneca (Apoc. 9.1) uses *mera mapalia* = 'utter nonsense'. We should no doubt read, *at nunc mera mapalia*, 'but now it's mere trifling: nobody of any value is turned out by modern schools'. **dupondii:** gen. of description; *dupondii* is virtually an adjective with a noun. *evado, exeo*, are, like our 'turn out', often used of a result. Cf. Horace's 'urceus exit' (A.P. 22).

14. **quod me . . .**, 'such as you see me'. *quod* is untranslatable, properly 'in reference to the fact that'. Cf. 38. 14.

59. 1. **scordalias**, 'abuse'; only here. *scordalus*, 'wrangler' comes 95.7, Sen. Ep. 83. **suaviter sit:** 34. 10 n. **sanguen:** neut. (= *sanguis*) 'sanguen dis oriundum' (Enn.).

2. **capo:** lit. a 'capon'; 'when you were young, you were cocky enough'. **coco:** imitates crowing of a cock. So *cucurrio*, 'I crow'. **cor** in Old Lat. = understanding ('brains'), and retained this meaning in popular use. **a primitiis:** i.e. 'let's make a fresh start'. **Homeristae:** reciters of Homer, like the old Greek rhapsodists, but with elaborate paraphernalia, costume, action and (often) several personages.

3. **factio:** seems here = 'troupe'. **consedit**, 'sat up'; he had been reclining. **insolenter:** probably 'pompously'. **Latine:** a Latin translation.

4. **subiecit**, 'substituted'. **Homeros:** the Greek nom. **Parentini:** perhaps 'the men commanded by Paris', 'Parisians!'—but T. is obviously thinking of *Tarentini*.

5. **explicabit**, 'explain' or perhaps better 'finish off, wind up the plot'. *ex-plic-atio*, 'un-ravelling', 'de-noue-ment' (*nouer*) opposed to *in-volutio* ('complication') is a technical term of criticism. Cf. 54. 3 n. Cic. N. D. 1.53 'cum explicare argumenti exitum non potestis, confugitis ad deum' (sc. *ex machina*).

6. **ducenaria:** 200 librae in weight (about 140 lb.). **galeatus**, 'helmeted' (*galea*); the reason is given in § 7.

7. **Aiax:** his madness (not in the story of the Iliad) is the subject of Sophocles' play. The mad Ajax mistakes the helmeted calf for his foe. (In Sophocles he attacks a flock of sheep.) **versa, supina:** (neut. pl.) cognate acc. with *gesticulatus*, 'making down and up strokes'. *versa*, 'with hand turned down'; *supina*, 'hand turned up', cf. 'falx supina'. (Perhaps they are abl. fem., *manu* being understood.) **mirantibus . . .**, 'divided among the astonished guests'. (Cf. Juv. 5. 121 ff.)

60. 1. **strophas**, 'tricks', cf. *catastrophae*, 54. 3 n. **lacunar**, 'panelled ceiling' (*lacus*, 'a hollow'); cf. Aen. 1. 726.

3. **de cupa . . . excussus**, 'obviously knocked off a cask'.

4. **Priāpus:** (protecting deity of gardens) a figure made of

confectionery,—*opus pistorium*, 38. 15 n.   vulgato, 'in the
usual way'.   Priapus was naturally surrounded by garden
produce.

5. pompam, 'rich viands', Lindsay on Pl. Capt. 771 ed. ma.
remissio, 'renewal'.   hic, 'at this point'.

6. etiam ... contactă, 'even when disturbed by the slightest
touch'.   umor: supply *coepit* from *coeperunt*.

7. fericulum: 39. 4 n.   As this is not 'sermo plebeius', we
should read *ferculum* (H has *periculum*). perfusum, 'sprinkled'.
altius, 'to a sitting position'.   feliciter: sc. *fiat*.   Augustus:
a semi-religious title adopted by Octavian on becoming emperor,
and continued by his successors (Hor. Od. 4. 5. 31).   quibusdam rapientibus: abl. abs.

8. bullatos: 30. 4 n.   The Lares (domestic gods) naturally
have their place in this domestic ceremony.   The 'bulla' is not
the one dedicated to the Lares, but simply an ornament.   dii:
sc. *sint*.   Cerdo: (for termination cf. 58. 11 n.) from κέρδος
('gain'), often used as a representative name of a workman.
Felicio: Sen. Ep. 12. 3.   Lucrio: (*lucrum* 'gain'). C.Q. 1927. 129.

61. 1. sibi: probably refers to the guests (subj. of *optarunt*),
tr. 'to each other', but perhaps to T. (subj. of main verb,
respexit).   bonam mentem: refers not only to intellectual
but to moral endowments, 'sound mind and sound health'—
'mens sana in corpore sano'. Cf. 70. 3.

2. suavius esse, 'be cheerful', colloq. use of adv., p. 21 (*c*),
'be pleasant' would require *suavior* (cf. 59. 1, 64. 2).   nescio
quid taces: (1) 'you're silent about something', or (2), 'I don't
know why you're silent', direct for dep. question.   (Parataxis.)
sic videas, 'as you hope to see' (cf. 'ita fruniscar', 44. 16), with
parataxis again, as at 72. 3.   usu venit, 'has happened'—
lit. 'come about in practice'.

3. gaudimonio = *gaudio*.   Vulg. and popular Lat. affects
nouns in -*monium* (cf. 63. 4).   For the expression cf. 75. 9 n.

4. viderint, 'let *them* see to it' ('*I* don't care').   The tense
in this idiom is fut. pf. ind. not pf. subj., as *videro* is sometimes found; cf. 62. 14.   deridere, 'have the laugh of',
stronger than 'ridere', because it implies 'make a fool of';
58. 6, 62. 11, Cic. Opt. Gen. Or. 11.

5. haec ubi ... dedit: a common epic formula.

6. quomodo ..., 'as luck would have it', but N. makes the
statement general 'as such things happen', hence pres. tense.
Cf. 76. 1.   bacciballum: slang word (unknown) connected
with *bacca*, 'berry' (?): tr. 'peach'.

8. fecit assem = *si fecit*.   sinum: fold of garment used
as purse.   fefellitus: p. part. of *fallo*, on analogy of *fefelli*
(cf. *parsero*, 58. 5 n., *pepertus* (papyrus), *pepercitus* (Eccl.)).

9. per scutum per ocream: proverbial (hence asyndeton)

Paulus ex Festo: 'aginatores dicuntur qui etiam parvo lucro moventur.'

'by hook or crook'.　　　**aginavi**: vulg. Lat. connected with *ago*.　Again asyndeton.　'I struggled and contrived.'　**apparent**, 'are shown'.　'Amicus certus in re incerta cernitur.'

62. 1. **Capuae**, if right, is strange; even in poetry, 'datives of motion towards' are doubtful: cf. Süss. 34. The locative, again, is strange, but cf. 'in solio descendo', 73. 5, 'in medio', 49. 4, and especially 30. 3 n.　　Most editors read *Capuam*. **scruta scita**, 'odds and ends' proverb with allit. (cf. 37. 5 and 7 notes) and probably asyndeton. *scruta*, 'trumpery' (H. Ep. 1. 7. 65); *scita*, 'pretty'.　　**expedio**: either 'see to' or 'sell', 39. 10 n.

2. **persuadeo**: governs dat. in class. Lat., 46. 2 n.　　**ad**, 'as far as'.　**Orcus**: cf. Song of Songs, 8. 6.

3. **apoculamus**: (slang) 'toddle off', perhaps from ἀποκυλίω (-ίνδω) [or possibly ἀπό + *oculus*, 'out of view', i. e. 'make oneself scarce'].　**nos**: accus., cf. 67. 3.　**gallicinia** (plur. for sing.), 'cock-crow', the last watch of the night.

4. **monimenta**: tombs along roadside (cf. 'Street of Tombs' at Pompeii, and 71. 6, &c.).　**homo meus**: colloquial.　**facere ad**, 'make for'.　**stelas** (στήλη), 'tombstones'.

5. **esse**: historic inf.

6. **ut mentiar**: consec. subj., dep. on *tanti facio*.

8. **qui mori**, 'who was frightened to death but me?'　**qui** ⸗ *quis*, 58. 8.　**mori**: hist. inf.

10. **ut larua**, 'like a ghost'.　**ebullivi**: 42. 3 n.　**bifurcum**, 'fork', i.e. 'my two legs'.　**vix unquam** ('*demum*' or '*tandem*' would be more usual with *vix*), 'hardly in the end'.

11. **nobis**: would be accus. in class. Lat.　**omnia pecora**: acc. because thought of as *direct* obj., but she changes the construction and adds *illis* of indirect obj. after *sanguinem misit*. 'The cattle—he shed their blood like a butcher', cf. 57. 8. **derisit**, 'scored', 61. 4 n.　**compilatus**: 'robbed', a reference to the fable, Aesop 423 (ed. Tauch.).

13. **bovis** = *bos*. Cf. *Iovis*, 58. 2.　　**versipellis** (λυκάνθρωπος), 'werewolf'.

14. **viderint**: 61. 4 n.　**exopinissent** (= *exopinentur*, 'form opinion'): formed like the verbs in *-isso* (Fr. *-oyer*) which come from Greek verbs in *-ίζω*: cf. 67. 10 *excatarisso*, 65. 3 *comissator*. [For *de hoc* MS. has *hoc de*, which may be right, the prep. coming second, as disyllabic preps. often do, while even 'de' not infrequently comes after a *relative*.]

63. 1. **salvo tuo sermone**: abl. abs. 'with all respect to your tale'—which sounds as if he were about to cast doubt on it.　**salvo**, 'without prejudice to'.　**si qua...**: i.e. 'if you'll believe me', cf. 65. 1.　The whole is incoherent (through fear?). **ut... inhorruerunt** proceeds as if a clause with *ita* ... had

preceded, e.g. 'ita mihi credatis' (so may you believe me) as
my hair stood on end, as in 44. 16, 70. 1.   **inquit** goes with
Trim., a division commoner in Gk. (Plato) than in Lat., though
Cicero rather affects it in his dialogues.   **Niceronem** (= *Nice-*
rotem, -ota): as if from *Nicero*, 46. 8 n.

2. **linguosus**, 'babbler'; contrast 43. 3.   **asinus, 'an ass**
on the roof (tiles)', a portent: Liv. 36. 37, Babr. 125.

3. **capillatus**: 27. 1 n.   **Chiam**, 'luxurious' (like the Chians,
Ath. 25 F); a young and handsome slave would be favoured.
ipsimi: short form of superl. of *ipse*; cf. *bruma* = *brevima* =
brevissima, ultimus, infimus, &c.   We have also *ipsissimus*, Gk.
αὐτότατος, 29. 8 n.   **delicatus**, 'favourite'.   **margaritum**
= *-am*.   **caccitus** (unknown), 'a marvel'.   **omnium**
numerum: gen. pl. cf. 68. 8, CIL. 10. 10027.   Usually 'omni
numero absolutus' (lit. 'perfect on every count').   The gen. here
is descriptive, 'a boy of every perfection'.

4. **plures**, 'a number of us', or 'plures in tristimonio esse' (cf.
'multus in aliqua re esse') = 'be considerably upset'.   **tristi-**
monio, 'sadness' = *tristitia*.   Cf. 61. 3 n. (*gaudimonium*).
strigae, 'witches', 'vampires'; 'strega' is still used in Italy =
'witch', and is connected with *strix* (screech-owl), a bird of
ill-omen. Cf. Ov. Fast. 5. 137.   **putares**: 31. 7 n. (*crederes*).

5. **audaculum**: the abuse of diminutives in vulg. Lat. made
them meaningless, and so we here have one actually joined to
the intensive *valde* [cf. *soleil* (*soliculus*), *goupil* (*vulpeculus*),
abeille (*apicula*), *grenouille* (*ranuncula*)]; v. Introd.

6. **hoc loco**: to say 'as it might be in this very place' is a bad
omen, so T. cancels it.   **quod tango**: T. touches the part of
the body referred to, the origin of our 'save the mark'.   The
woman was a vampire.   **ipsas**: i.e. the vampires.

7. **baro**: (βαρύς, 'dull') = 'hulking lout', cf. 58. 11. n. (Theoc.
15. 10, and proverb, ἄνους ὁ μακρός).   **introversus** (usually
contracted to *introrsus*), 'within the house'.   **lividum**: leaden
coloured, not 'livid', tr. 'black and blue'.   **mala manus**,
'an evil hand'; 'malus' connotes witchcraft: cf. *malefica*, 'witch'.

8. **cluso**: vulg. for *clauso*.   **amplexaret**: in class. Lat.
would be deponent and pres. indic.   **manuciolum** (dimin.
from *manus*), 'a handful', 'bundle'.   **vavato** (unknown):
tr. 'puppet'.   **rogo vos**, 'I put it to you'.

9. **plussciae** (*plus, scio*), 'knowing'. Cf. *inscius, nescius,*
nesapius (50. 5).

10. **baro**: 63. 7 n.   **coloris**: lit. 'was never (again) of his
proper colour', i.e. 'was never himself again'.   Cf. Eng. slang
'off colour'. But it may be literal.   **phreneticus** (compare
Eng. 'frenzy'), 'mad'.

64. 1. **pariter**: i.e. 'as much as we wondered'.   **osculati**:
no exact parallel to this custom is quoted.   **suis**: probably

dat. (of 'advantage') 'for their own sort', Hor. Sat. 2. 3. 324:
apotropaic; cf. Ar. Ran. 301.   **dum redimus**: as purpose is
implied (*dum* = 'until') we expect subjunct., but colloq. Lat.
often has pres. indic. in such cases, as in vulg. Eng. 'while I
return' = 'till I return'. Cf. Virg. 'dum *redeo*, pasce capellas'.

2. **tibi dico**, 'I say!'   **delectaris**: 45.7 n.   **et solebas**,
'and *yet* you used', 34.7 n.   **suavius**: 61.2 n.   **cantūrio**:
dimin. of *cano*; cf. *ligur(r)io*.   **deverbia** (*div*-): properly the
dialogue of a play)(*cantica*, 'lyrics'. *canturrio* suggests
the parts of the dialogue which were in a sort of recitative
(παρακαταλογή), i.e. the non-iambic parts, unless P. purposely
uses the wrong word.

3. **dulcis**: if right = *dulces*.   **caricae**: lit. 'dried figs'
from Caria (cf. *cauneae*); 'the good old days are over'.
[The MS. has 'abistis dulcis carica': the reading of the text is
that of Bücheler, Heraeus, and Friedländer, but there is no
parallel in Petronius to a nom. plur. in *-is*; perhaps it would be
best to cut the knot and read *dulces*, as Heraeus does in his
index. The nom. plural *-is* is not very rare in good MSS. It
is attested by Varro, and read in Lucretius fourteen times by
Munro (see his note on 1.808, Intr. p. 36, and on Aetna 58).
Still it does not seem to be characteristic of popular Latin:
I do not see any cases in vulg. Lat. inscriptions or texts or
Plautus and Terence.]   **quadrigae** ... : i.e. 'my time's over'.
tisicus = φθισικός, 'in a decline'.

4. **tonstrinum**: i.e. he imitated the talk in a barber's shop.
Cf. 68. 7.   **Apelletem** = Apellem, an actor of the previous age.

5. **graecum**: if *exsibilavit* is taken literally, must = 'a
Greek tune' (53. 13 n. *cantare*).

6. **semissem**: weighing half an as. ? *semessum*: H. Sat. 1. 3.
81.   **nausea**, 'was stuffing (the beast) who refused it with disgust'.

7. **Scylacem** (lit. 'Puppy'), 'Tiny'.   **nec mora**, 'without
delay'.

10. **intra rixam constitit**: lit. 'stop on this side of a scrap',
i.e. 'was confined to a scrap'. *citra* is used in the same way.
et ... et, 'both ... and'.

12. **equo**, 'as a horse'.   **plena**, 'open'. In Cambridgeshire this
game is still played. The rider holds up his hand and says, 'Buck,
buck, how many fingers do I hold up?' The other has to act
as horse till he guesses correctly. The guessing part was called
'micare digitis': 44.7; Gk. ποσίνδα. Cf. *The Times* 3. 2. 51.

13. **repressus**, 'having restrained himself'.   **camella**,
'goblet'.   **ad pedes**: 58. 1 n.

65. 1. **matteae**, 'delicacies'.   **fides**: cf. 63. 1.   **dicenti**:
sc. *mihi*.

2. **singulae**, 'one for each guest'.   **pilleata**, 'fitted with
caps' by the *opus pistorium* (38. 15).   **ut comessemus**
(= *comĕderemus*): dep. on *petiit*.

3. **lictor**: 30. 1 n. (It was customary for revellers thus to burst in.)

4. **nudos**: the shoes were removed by slaves at the door.

5. **sevir**: 30. 2 n. **videtur**, 'is considered'.

6. **recreatus** (lit. 'refreshed'), 'reassured'.

7. **coronis**: garlands were worn at drinking bouts. **praetorio loco** (sometimes called 'consularis'), 'the seat of honour' (*imus in medio*). **caldam** (sc. *aquam*): 41. 11 n.

8. **capaciorem**: 41. 10 n. (*pataracina*). **acceptus**, 'entertained'.

9. **oculi**: as we say 'my heart was here' (unless *oculi* = 'apple of my eye', v. Dict.).

10. **novendialem** (sc. *cenam*): usually *novendialia*, feast in honour of the dead, nine days after burial. **mortuum**: as token of respect, a not unusual custom. **vicesimariis** (58. 2 n.): collectors of the tax. **mantissa**: lit. 'make-weight' (ἐπίμετρον), here perhaps 'rake-off', 'reckoning'. **millibus**: abl. of price.

11. **ossucula** = *ossicula*. The sound was half-way between -*i*- and -*u*- as in *peduclus* (cf. *manuplus* in an inscr.). For diminutive 63. 5 n. (and Introd.). For custom ch. 77 ult.

66. 1. **frequenter**, 'constantly' as in Cic., not 'often'.

2. **in primo**: sc. *ferculo*. **coronatum botulo**, 'crowned with a ring of chitterlings' (or 'sausages'): *botulo* is Iac. Gronovius' conjecture for 'poculo', and suits admirably the 'black puddings' and 'giblets' which follow. (Hence Fr. *boyau*, Eng. *bowel*.) **autopyrum** (Gk. = 'natural wheat'): i.e. whole-meal flour; v. Salonius, p. 30 (Apicius). **de suo**, 'on its own', 'by itself'. **sibi**: often added to reflexives merely to strengthen them in *sermo cottidianus*.

3. **excellente**: 45. 4 n., 'grade A': v. App. **me usque tetigi**, 'I kept on wiring in'. **me tetigi** = 'eat' (cf. L. and S. s. v. *tango* I.B.). **usque**, 'right on'. **non minimum** = *multum*.

4. **circa**: sc. *erant*. **calvae**: nuts from Pontus. **arbitratu**, 'at pleasure', 'ad lib.' **aliquid muneris** (partitive gen.), 'some gift'. **vernulae** (lit. 'home-born slave', 38. 3 n.), 'my youngster'. **habebo convicium**, 'I shall get into a row'.

5. **domina**, 'my good lady' (she had whispered something to him). **in prospectu**, 'to look forward to' as a *pièce de résistance*.

6. **plus libram**, 'more than 1 lb.'; *plus* with numerals, &c., omits *quam*, without taking abl. of comparison. **sapiebat**, 'had the very taste of boar's meat'.

7. **in summo**, 'to wind up with'. **mollem**, 'cream'. **ex sapa**, 'flavoured with must'. **ex**: in cookery used of the condiment. **corda** (= *chorda*), 'tripe'. **hepatia**, 'liver'.

pilleata: 65. 2 n.   **rapam** = *rapum*.   **senape** = *sinapi*.
alveus, 'tray'.   **oxycomina,** 'pickled olives'.   etiam
improbe, 'with greed that was positively indecent'.   **pugnos:**
(lit. 'fists') 'handfuls'.   **missionem: 41.** 4 n.   (Cf. 52. 5.)

67. 1. **recumbit:** i.e. at the meal.

2. **quomodo nosti illam,** 'as you know'—*illam* is redundant.
inquit: goes with **Trimalchio,** 63. 1 n.   **argentum,** 'silver
plate'.   **pueris,** 'slaves'.

3. **discumbit:** the pres. is vivid, like *apoculo*.   **apoculo:**
62. 3 n.   **quater amplius,** 'more than four times' (66. 6 n.),
or = *quater et amplius*: Weiss. on Liv. 40. 31. 6.

4. **galbinus,** 'yellow'.   **cingillum** (= *cingulum*), 'girdle'.
periscelides, 'anklets' (σκέλος).

5. **osculata plaudentem,** 'kissing her as she clapped her
hands'.   **est te videre,** 'may one really see you'.   **est** =
licet (ἔστιν). H. Sat. 1. 2. 19, 1. 5. 87.   **reticulum:** masc. for
neut. ('hair-net').

6. **obrussa:** for *obryza* (Gk.); cf. 62. 14 n. for *ss* = *z*, 'pure
gold'.   The word in Cic. = 'touchstone', 'test' (metaphorically), cf. βάσανος. It is common in vulg. Lat. (e.g. in
Bible). [Can the phrase 'ex obrussa' = 'tested'?]

7. **compedes:** so he contemptuously calls the bracelets, &c.
barcalae = *barones* (?). J. S. Reid proposes *barunculi*—dimin.
of *baro*; but cf. *babaecalae*.   **sex pondo:** the original phrase
would be 'vi libras et selibram pondo' (6½ lb. weight); from this
use of 'pondo' is derived Eng. 'pound'.   **debet habere,**
'should weigh', 33. 8 n.   **millesimae** (*partes*): the 1,000th
part (!) of his gain offered to Mercury, god of trade (*merx*). The
custom is widespread (cf. our 'tithes'—a Jewish usage); the
best known instance at Rome is the 'decuma Herculis'.
T. must have made the equivalent of 10,000 lb. of gold (per
annum?), and appropriated Mercury's share!

9. **aureolam:** dimin. of *auream*, to match *capsellam* (*capsa*),
'a little box'.   **Felicionem,** 'Lucky'; the mascot's name.
inde, 'next'.   **crotalia,** 'ear-rings'.   **in vicem,** 'in turn'.

10. **excatarisso:** hybrid form: *ex*+καθαρίζω, 'clear out'—of
money, 62. 14 n.   **fabam:** (lit. 'bean') 'bauble'.   **pro
luto:** 44. 10 n.

11. **sauciae:** 'drunk'. Cf. Mart. 3. 68. 7.   **diligentiam** (i.e.
as housewife).   **delicias,** 'extravagance'; the extravagance
of a pampered person for whom nothing is good enough.
Cf. *delicatus*, 33. 2.   **altera . . . altera:** Scintilla . . .
Fortunata.

68. 1. **secundae mensae:** properly = 'the dessert'.   **scobis:**
f., 'sawdust'.   **speculari:** (transparent) 'talc'.

2. **periculo:** 39. 4 n.   **habetis:** we should use a perfect,
'*have* had'.

3. **muta**: sc. *modum*; cf. the *mutatis modis canticum* of comedy.

4. **interea** . . . : the opening of Aen. V.

5. **acidior** (= *acutior*), 'shriller', cf. 31. 6. **praeter**, &c., 'besides his rising and falling tones, following the vagaries of his barbarous taste', lit. 'of his erratic barbarism' (he only knew Latin imperfectly). **Atellanicos**: 53. 13 n. **ut**: consecutive.

6. **desisset** = *desivisset* (*desino*): 28. 1 n. **aliquando**, 'finally' (classical use). **circulatores**, 'strolling players', 47. 9 n. **erudibam** (=*erudiebam*): a form common in Old Lat. and poetry.

7. **desperatum valde**: lit. 'desperately much '(colloq.). Plautus has 'insanum bene'; the adj. is neut. accus. used adverbially. **omnis musae** . . ., 'a slave of every accomplishment'; cf. 'omnis minervae', 43. 8, and 'omnium numerum', 63. 3 n. and infra.

8. **quod** . . . **est**, 'as to his being squint-eyed'. **strabōnus**, -*i* = *strabo*, -*ōnis*, a Greek word: 45. 9 n. **sicut** . . . **spectat**, 'he has a cast like V.', who was often thus represented : Varro speaks of 'Venus paeta', cf. Ovid : 'si paeta est Veneri similis', Horace: 'strabonem | appellat paetum pater'. It was thought an added grace ! It is typical of Italian character that both Paetus and Strabo are used as proper names (originally nicknames). **ideo nihil tacet**, 'so he is never quiet and his eye is never lifeless' (or 'at rest'). **vix** goes with **unquam**: *est* is understood. **oculo mortuo**: abl. of description. (Cf. 62. 10.)

69. 1. **habeat**: dep. on *curabo*. **agaga** = *leno*. **stigmam**: 45. 9 n. **adcognosco** = class. *agnosco*. (Introd., p. 19, II *c*.)

2. Cappadocians were noted rascals. Tr. 'I recognize the C. he knows how to look after himself'. **defraudit**: 1st conjug. in class. Lat. **parentat**, 'no one can give us this (i.e. a good time) after death'. **parento**: lit. 'make offerings to the dead'.

3. **et vos novimus**, 'we know you women, too!' **sed tace** . . . : proverbial: cf. Callim., P. Oxy. 1011. 5.

4. **semihora**: probably abl. for acc. ('time how long'), as *amplius* does not usually take abl. of comparison, 67. 3 n. **succinente** (cf. ὑπᾳ'δω) : *sub*-, like ὑπο-, implies accompaniment. **manu deprimente**: (sc. *Habinnā*) 'pressing with his finger'.

5. **quassis**, 'split' or 'broken'. The Pan's pipe is like the pipes of an organ on a small scale, the pitch of the note in both depending on the length of the pipe. **fata**, 'life'—properly 'fortunes'. **vocatum**: agrees with *eum* understood, dir. obj. of *basiavit*. **tanto melior**: lit. ' you're so much (abl. of measure of difference) the better'; a phrase common in Plautus.

6. epidipnis ($\epsilon\pi\iota$ + $\delta\epsilon\hat{\iota}\pi\nu o\nu$), 'extra course . Perhaps we may tr. 'savoury'.   **siligneus,** 'of pastry'.   **uvis passis,** 'raisins'.

7. Cydonia mala, 'quinces'.   **ut efficerent,** 'to imitate'.

8. omnium genera avium = *omnia genera avium.* Cf. 'omnium textorum dicta', 33. 3 and Addenda there.

70. 2. volueris : jussive ('let yourself have wished'), i. e. 'suppose you wish'. Cf. Juv. 3. 78 'in caelum, iusseris, ibit '. **colepium** ($\kappa\omega\lambda\dot{\eta}\pi\iota o\nu$), 'knuckle of meat'.   **ingenio,** 'ingenuity'.   **Daedalus :** type of the ingenious artist.

3. bonam mentem habet, 'is a decent sort', 61. 1 n.   **potestatem:** 34. 1.   **bucca** has its exact sense of 'inflated cheek'.

4. lacum, 'cistern'.

5. tulit: here = 'accepted'.   **decernentis:** sc. 'Trimalchionis'.   **sed alterius . . .:** brachylogy for 'each struck the other's flask', *uterque* being supplied from *neuter.* Cf. Hor. Sat. 1. 1. 1 'Qui fit ut nemo [suā sorte] contentus vivat, laudet diversa sequentes', 'none is content, but (each) praises'.

6. pecten, 'scallop'.   **gastra:** by-form from $\gamma\alpha\sigma\tau\dot{\eta}\rho$, through acc. $\gamma\alpha\sigma\tau\dot{\epsilon}\rho\alpha$, 45. 9 n., 53. 12 n.; 'bellies' of jars.

7. aequavit, 'was a match for'.

8. ante: adverb. The practice of anointing the feet was, according to Pliny, introduced under Nero.

9. hinc, 'next'.   **vinarium,** 'wine cooler'.

10. prasinianus, 'follower of the *prasini*' (greens), i. e. charioteers in the races, who wore that colour. T. obviously favoured another colour. [There were four colours, *albati, russei* (red), *veneti* (blue), and *prasini* ; each had their backers, who supported them, even to the extent of free fights. In later times this abuse rose to an almost incredible extent ; the terrible contests between opposing factions form perhaps the most striking feature of Byzantine history, and influenced every political and religious controversy. Gibbon, ch. 40.]   **famosus :** in Lat. = 'infamous'.   **discumbat,** 'to take her seat', jussive subj., dep. on 'dic'.

11. quid multa : sc. *dicam.*   **adeo,** 'to such an extent'. **familia,** 'the slaves'.

12. muria, 'brine pickle'.

13. sponsione provocare, 'challenge to a bet '.   **palmam:** sc. *laturus esset.*

71. 1. diffusus : lit. 'spreading himself out', i. e. 'exhilarated'. **et servi,** 'even slaves'.   **aeque,** 'as much as we'.   **lactem:** masc. for neut. (we had *lacte*, 38. 1).   **fatus** = *fatum*, 42. 5. **oppresserit :** 46. 5 n. *(sit).*   **aquam,** &c.: i. e. 'I will free them'. Ov. Am. 1. 6. 26.   **ad summam :** 31. 2 n.

2. contubernalis : 57. 6 n.   **insulam,** 'block of houses'.

vicesimam: 58. 2 n.   **lectum sternere** is *literally* to '*make a bed*'. Tr. 'a bed all ready for use'.

6. **Petraites**: 52. 3 n.   T. wants a list of his fights on his tombstone!   **ut sint**: dep. on 'rogo'.   **in fronte**: i. e. the frontage.   **in agrum**: i. e. the depth (from the road-side into the land behind).   **pedes** is subject of 'sint'.   Hor. Sat. I. 8. 12–13.   (20 or 30 feet was usual.)

7. **omne genus**: accus. of reference, treated adjectivally with *poma*. 'Fruit of every kind.'   **vinearum**: partitive gen. dep. on *largiter* (= *large*).   **falsum**, 'a mistaken idea'. **habitandum**: so on tombs, 'iuvenis fecit ut senex habitaret'. **non sequatur**: jussive, so that 'ne' would be regular; but cf. 74. 15, 75. 6. This proviso is often found on extant tombs; it was intended to prevent the heir from interfering; we often find simply the initials H. M. H. N. S. Cf. Hor. Sat. l. c.

> mille pedes in fronte, trecentos cippus in agrum
> hic dabat; heredes monumentum ne sequeretur.

8. **caveam**, 'take precautions by will'.

9. **in publico**: almost = *ad populum*.   **binos denarios**: in appos. to 'epulum'. This was commonly done in wills to represent the meat originally distributed at the funeral feast (called *visceratio*). Cf. Caesar's will: Shakesp. *J. C.* 3. 2. 247. **scis**: followed by *quod*, instead of acc. and inf.   (45. 10 n. *quia*.)

10. **faciatur**: classical 'fiat'.   N.B. singular verb; the speaker has not yet allowed for the subject being plural in form. **sibi ... facientem**, 'enjoying themselves'.

11. **cicaronem**: 46. 2 n. (not apparently a *son* of T.).   **effluant**: used transitively, cf. *ebullio*, 42. 2; 'spill'.   **velit nolit** = *seu v. seu n.*, 'willy-nilly' (asyndeton; cf. 37. 7 n.).

12. **vide si**, 'see if'; in class. Lat. 'vide num', 33. 5 n. **Maecenatianus**, 'of the slaves formerly belonging to Maecenas' (and passed on to Pompeius, perhaps by will).   **decuriis**: probably of magistrates, or officials of guilds: certainly not of slaves, 47. 11 n.   **trecenties**: 30,000,000. T. concludes with a posthumous satire on the 'advantages of education'.   **vale**: to the passer by; **et tu** (*vale*): his supposed reply. Cf. Appendix, Inscr. 24.

72. 1. ubertim: 44. 18 n.   For this dangerous custom of hot baths after a heavy meal, cf. Juv. I. 144 'hinc subitae mortes'.

3. **sic ... videam**: lit. 'so may I see you happy', 'as I would see you happy, let's fling ourselves into the bath; I warrant you won't repent'. (For the parataxis cf. 61. 2.)

4. **dies**: here no particular reason for making it fem. (Cf. 46. 2.)

6. **assentemur**, 'humour'.

7. **placuissent**, 'had been agreed on'.   **nec non**, 'also', redundant with *quoque*.   **timueram**: 29. 1.

9. **latranti**: sc. *cani*. P. is thinking of Cerberus.

10. **utique**, 'at least', somewhat illogically joined with *petissemus*, instead of *emitteret*. [Bücheler's conjecture *udique* is very plausible.]   **hac**, 'this way' (still more superstition!).

73. 1. **quid faciamus**: pres. vivid for *faceremus*—'what were we to do?'   **quibus**, &c., 'who had now begun to long for a bath'.

2. **ultro**, 'of our own accord' (though they had previously wished to escape).   **frigidariae**: (adj.) 'of the frigidarium', the room for the cold bath, containing a *cisterna* or *baptisterium*. **eius iactationem**, 'his chatter'; cf. *iactat*, 67. 11.   **pistrinum** : where the slave turned the flour-mill; it also (usually) contained an oven. For the noise of baths, cf. Sen. Ep. 56.

3. **sono**, 'resonance'. The vaulted roof (30. **3** n.) increased the volume of the sound. Hor. Sat. 1. 4. 75.   **diduxit os**: lit. 'opened his mouth'.   **lacerare**, 'murder' (lit. 'rend'). **sicut dicebant**: i.e. they said it was a song of Menecrates.

4. **labrum** (*lavo*), 'bath'.   **gingilipho**, 'laughter' (?), γιγγλισμός (cf. 'giggle').   **restrictis manibus**, 'with hands tied back'.   **posito genu**, 'kneeling'.   **pollices tangere**, 'touch their toes'—'heels', we should have expected.

5. **in solio**: we expect acc., as this is not vulgar. These were seats where bathers sat to wash.   **circa**: adverb.   **sacco**, 'leather wine-flask'. For noise in baths cf. Sen. Ep. 56.

6. **barbatoriam fecit**, 'has cut his beard', 29. 8 n.   **praefiscini** (or *-ne*), *prae + fascinum*, 'preventing the evil eye' (cf. Eng. 'fascinate'). A word used to avert the bad luck attendant on boasting. 'In good hour be it said', 'I say it without boasting'. (Cf. *in-video*, lit. 'look on' (with evil eye). 74. 13 n.)   **micarius** (*mica*, 'crumb'), 'crumb-saver' i.e. 'thrifty'.   **tangomenas**: 34. 7 n.

74. 1. **confusus**, 'dismayed'; it was a bad omen.

2. **bucinus** = *bucinator*, 'trumpeter'.   **longe a nobis**: sc. *sit*. For changing ring and pouring water see Plin. N.H. 28. 57.

3. **quisquis attulerit**: 28. 7 n.   **indicem** : (lit. 'indicator', 'informer') 'messenger of evil'.   **corollarium**: (properly money for complimentary wreath, *corolla*) 'a tip'.

4. **dicto citius**, 'before the words were out of his mouth'. Cf. Aen. 1. 142 ; Apoc. 13. 2.

6. **ad officium**, 'to business', i.e. eating.

7. **subiit**: *sub-* implies succession, change. Cf. *sufficiebat*, 27. 3 n. 'They were replaced by.'   **classis**: prop. a military term; 'group' = *decuria*, 47. 11 n.   **vale**: on departure. **ave**: on arrival.

8. **hinc**: cf. 70. 9.

9. **ut ex aequo**, 'in order to uphold her just legal claims', began to revile T. and call him "scum" (κάθαρμα), a disgrace'

ex aequo: (1) according to law (cf. *e republica*); (2) on equal terms.   **Trimalchioni**: MS. has acc. as at 58. 13; but this is not 'sermo plebeius'.

11. **tanquam** = *tanquam si*, 28. 5 n.

12. **super quem**: antecedent *urceolus*, rather than *puer*.

13. **quid enim**: tr. 'there you are'.   **ambubaia**: female mountebank of bad character.   'Hussy' or 'ballet-girl'.
machina = *catasta*, 'platform' where slaves were exposed for sale.   **hominem inter homines**: 39. 4, 57. 5.   **spuit**: to spit in the lap is in Theocr., 6. 39, a charm against the evil eye (73. 6 n.).   **codex**, 'log', 'block'.   **hic, qui**: masc. because the phrase is a proverb. 'He who is born in a booth (hovel) never dreams of a house.' T. means she never dreamt she would rise to such heights.   **pergula**: a 'lean-to', 'pent-house', 'booth' in front of a shop; also 'verandah'. *Pergola* in mod. It. = *vine-trellis*.   **somniatur**: dep. for active.

14. **domata sit**: (class. *domita sit*) dep. on *curabo*.   **caligaria** (*caliga*, 'soldier's boot'), 'Cassandra in hob-nails', i.e. virago. Cassandra, in reference to her sulkiness and ravings.

15. **dipundiarius**: 45. 8, 58. 4 and 5, and notes.   **centies**: 10,000,000. (The amount of the other lady's fortune.)   **proximae**, 'next door'. Agatho was probably a slave or freedman who managed the shop for her: hence 'herae'. Cf. 76. 9 n.
non patiaris: (class. *ne*, 71. 7 n.) dep. on *suadeo*, 35. 7 (cf. *domata sit*, above), 'don't let your family die out', i. e. 'marry my mistress'.

16. **bonatus ago**, 'play the good fellow'; *bonatus*, adj. from *bonus, as malatus from malus*.   **levis**, 'fickle'.   **asciam** . . ., 'struck my leg against the axe' (31. 1), a proverb which recurs in Apuleius.   **recte**: 58. 4 n.   **unguibus: i. e. want to dig him up with her fingers.**   **depraesentiarum**: 58. 3 n.

17. **quidem**: (not with 'ne') 'even when dead'.

75. 2. **appellando**: calling him by his praenomen.   **se frangeret**, 'give way', cf. '**te ut ulla res frangat**', Cic. Cat. I. 22.

3. **fruniscaris**: 43. 6 n.   **peculium**: (dimin. of *pecunia*) 'bit of money', especially a slave's savings.

4. **decem partes**: 58. 7 n.   **ab oculo**, 'at sight'.   **thraecium**, 'the (toy) armour of a Thraex', if the text is sound (45. 12 n.)   **arcisellium** (*arcus, sella*): a chair with semicircular back.

5. **in oculis ferre**: as we say, 'make the apple of one's eye'.

6. **ita tibi videtur**, 'so that's the way you take it!'   **fulcipedia**, 'high-stepper'. Probably a reference to high heels (cf. *cothurnus*) as implying pride.   **bonum** . . .: lit. 'digest your good luck', i.e. 'don't let it turn your head'.   **et non**: 71. 7 n. (*sequatur*).   **ringentem**, 'show my teeth'. Cf.

Ter. Phor. 341.   cerebrum 'anger'.   Cf. 45. 5 n. (*caldi-cerebrius*).

7. clavo tabulari: cf. 'clavi trabales' and 'adamantini' of *Necessitas*, Hor. Od. 1. 35. 18; 3. 24. 5. Cic. Verr. 5. 22. 53 quotes the proverb.

8. vivorum meminerimus: simply a *façon de parler*. Cf. 43. 1.   tam . . . quam (27. 2 n.) = *talis . . . quales.* corcillum: colloq. dimin. of *cor* ('brains').   quisquilia (class. *quisquiliae*), 'trash'.

9. bene emo, 'buy cheap'.   bene vendo, 'sell dear'. felicitate . . ., 'I'm simply bursting with prosperity'. Cf. 61. 3. sterteia, 'snorer' (*sterto*, 'snore'), 'you grampus!' iam, 'soon'.

10. candelabrus: class. 'candelabrum'.   ut celerius: class. 'quo celerius'.   rostrum, 'beak'—a slang use (Plaut.: Sp. *rostro* 'face').   ungebam: i.e. with the oil.

76. 1. volunt: 61. 6 n.   ipsimi: 63. 3 n.   'I inherited the brains (*or* temper?) of my master' (*or* 'took his fancy'?).

2. quid multa: 70. 11 n.   coheredem: it was usual for the wealthy to make the emperor at least part heir, otherwise he was apt to get hold of the whole on some pretext or other; many were done to death by the worse emperors for their wealth (e. g. Seneca).   laticlavium, 'princely'. Cf. Inscription 11 n. in Appendix.

3. nihil: redundant negative, 42. 7 n., 58. 5.   multis: sc. *verbis.*   contra aurum = *pro auro,* 'equal (in value) to gold'.

4. putares, 'you would have thought', 31. 7 n.   iussisse: sc. that they should be wrecked.   naufragarunt: act. for deponent.

5. defecisse, 'gave in'.   gusti fuit: gen. of price, lit. 'wasn't the price of a mouthful', i. e. 'a mere flea-bite' as we say. Cf. 'non flocci est'.   gusti: class. *gustūs.*   tanquam . . . facti (part. gen.), 'as if nothing had happened'.

6. seplasium: a perfume.

7. pius, 'loyal', whether to gods, country, or family. peculii: 75. 3 n.   fermentum, 'leaven', because it gave the start of his fortune.

8. cito fit, cf. Livy 1. 39. 4, O. Met. 8. 619.   corrotundavi, 'scooped in'. Cf. H. Ep. 1. 6. 34.   patroni: gen. of possessor.

9. manum de tabula (*sustuli*), '(took) my hand from the board': proverbially = 'left off'.   sustuli me, 'retired'. faenerare: (generally deponent) with acc. of person, 'lend at interest to' as Mart. 1. 77. 6.   Perhaps we should read 'per libertos' (which was often done), 74. 15 n.

10. exhortavit: (act. for deponent) sc. 'to keep on'. Another reading is 'exoravit', 'persuaded me to change my mind', which certainly is better Latin.   consiliator, 'one privy to the counsel of the gods'.

11. **ab acia et acu**: proverbial jingle (37. 5 n.) = 'accurately': cf. 'acu tango' (*acia* = 'thread'). **intestinas** = class. *intestina*. **tantum non** is common for 'almost' (perhaps = *tantum quantum non*: cf. ὅσον οὐ). Here it is amplified into 'tantum (est) quod non'. **cenaveram**: direct for dep question, 39. 3 n.

77. 1. **tu dominam . . .** The fortune-teller's words to T. **dominam fecisti**, 'made the fortune of . . .', or **tuam fecisti** = 'made your own'. **in amicos**: lit. 'towards your friends', i.e. 'in (the case of) your friends', for which *in* + abl. is commoner. **parem gratiam refert**: lit. 'repay equally'. **ala**: lit. 'armpit'. **nutricas** (used by Cic.) = *nutris*.

2. **quod non dixerim**, 'what I should hardly tell you'. The so-called 'potential subj.' of mild assertion; cf. *vix affirmaverim*, &c. (*quid* is conjectured). **cito** = *mox*, 'soon'.

3. **fatus** (= *fatum*), 'my fate' or 'horoscope'. **fundos**, &c.: more normally 'fundis Apuliam', as 48. 3. This is typical of T.'s boastfulness, and is rendered almost certain by the passage in 48. 3. To translate 'extend my estates to Apulia' is tame, and scarcely more normal Latin. **satis vivus pervenero**: proverbial = 'I shall do well enough'.

4. **Mercurius**: 67. 7 n. **vigilat**, 'watched over me'. **cusuc** (Semitic word), 'hovel'. **templum**: i.e. as magnificent as a temple, tr. 'palace'. **cenatio** (late word), 'dining-room': *cellatio* (Heins.) a 'row of cells'. **porticus**: masc., as in Ital. **susum**: vulg. pronunciation of 'sursum'. **sessorium**, 'sitting-room'.

5. **mavoluit**: class. *maluit*. **et̂**, 'and yet', 34 7 ult. **ad mare**, 'by the sea'.

6. **assem . . . :** i.e. you're valued according to your wealth. Cf. Lucilius: 'quantum habeas, tanti ipse sies (= sis), tantique habearis'. Hor. Sat. 1. 1. 62 'tanti quantum habeas, sis'. Mayor, Juv. I⁴, pp. 197, 371. χρήματ' ἀνήρ. **habeas**: probably jussive subj. substituted for condit. sent. **valeas**: jussive (or perhaps hypothetical) 'have an *as*, and you're valued at an *as*'. **habes, habeberis**, 'as you have, so you'll be thought of', a play on the two senses of *habeo*.

7. **Stiche**: a stock slave-name in the Digest. **vitalia**, 'grave-clothes'. **efferri**, 'carried out' to burial. **ossa**: 65. 11.

78. 2. **gloriosus**: (in class. Lat. usually 'boastful') 'in splendour'.

3. **aeque . . . tanquam** = *aeque . . . ac*.

5. **ad nauseam**, 'to a disgusting extent'. **nausea** (ναῦς, 'ship'): prop. = 'sea-sickness'.

6. **cornicines**, 'trumpeters' were employed at funerals and as fire-alarms. **torum extremum**, 'edge of the couch'.

7. **vigiles**, 'firemen'.   **regionem**, i.e. their 'beat'.   suo iure, 'having it all their own way'.

8. **verba dedimus** (colloq.), 'cheated', i.e. 'gave the slip'. **tam plane quam** = *plane tanquam*, 'exactly as if'; cf. 87. 8, 'non plane iam' = 'p. *non* iam'; 41. 3 n.

SUPPLEMENTARY NOTES

27. 6. tersit. The following from the margin of a Paris MS. of Plutarch (Gr. 1955, xi cent.) is too good to pass over. Things to avoid at meals: διὰ σκελῶν ἀμύττεσθαι· ἀπὸ ὑγιοῦς ἄρτου δάκνειν· τοὺς δακτύλους περιλείχειν· ἐπὶ τράπεζαν ἔσθοντα ᾄδειν· εἰς τὴν κεφαλὴν ἐκμάσσεσθαι· τοὺς ὄνυχας περιτρώγειν· διφρεύοντα ἐσθίειν. (Cl. Rev. 1906, p. 217.)

33. 3. textorum: cf. Arnob. 5. 14 'textriculas puellas taediosi operis circumscribentes moras' (with fairy tales): Ov. Met. 4. 39, Tib. 1. 3. 85.

37. 10. Aphrodite hides Phaon (or Adonis) ἐν θριδακίναις. (Ath. 69 B–D; Ael. V.H. 12. 18.) Starkie on Vesp. 480 (parsley).

40. 3. There was an ancient Christian cemetery near Rome called 'ursus pileatus'.

41. 6. domini sui makes poor sense. Perhaps *dionysiaca*.

43. 4. For derivation of *involo* (O.Fr. *embler*, Mod.Fr. *d'emblée*) see Cl. Quarterly 1920, p. 196.

44. 9. **Asiadis** may be right, referring to the idea mentioned in Xen. Cyropaedia 1. 2. 16 and 8. 8. 8 that Persians never spat. [Cf. Sacr. Bks. of E. iv, pp. xcii, 168[7], 185.]

48. Cf. Sen. Ep. 27 on the vicarious learning of Calvisius.

58. 5. comula besalis: cf. Marx on Lucil. 1319.

59. 2. aeque may well be right in view of cases like Plaut. Epid. 217.   **Homeristae**: their 'properties' are described in Ach. Tat. III.   Cf. papyri in Wilcken, Chrest. 492, 495. Ath. 620 B.

61 ff. The ghost tales are translated in Peacock's 'Gryll Grange'.   Cf. Schuster, Wien. St. 1930, 149 ff.

63. 3. **caccitus**: Rönsch conj. *zacritus*, a vulgar form or διάκριτος, like *zeta*, *zabulus* for *diaeta*, *diabolus*. [Bizerta = (Hip-)po Diarrhytus.]

64. 4: cf. C.I.L. 6. 4886 'primus invenit causidicos imitari'.

68. 2: cf. Milhaud's 'Bœuf sur le toit' from a Brazil folk-song.

69. 8. Cf. also Bede, H.E. 1. 1, 'variorum generibus conchyliorum'.

77. 4. cusuc is the same as the Pers. *kúshk* (Turk. *kiöshk*, Eng. *kiosk*), a small summer pavilion, portico: Cl. Rev. 1925, p. 117.

NOTES ON SENECA'S 'APOCO-LOCYNTOSIS'

For the allusions see any account of Claudius: cf. Dio 60. 35, Tac. A. 12. 67, Mart. 1. 21. 4, Juv. 5. 146 f., Suet. Claud. 33-4.

1. 2. The man who saw Drusilla, sister of Caligula, ascending to heaven, and received 1,000,000 sesterces for swearing to it, was a senator, Livius Geminus. **non passibus aequis**: Virg. Aen. 2. 724. Claudius walked with a limp.

3. 1. **Mercurius:** Claudius had affected eloquence and learning. **cum anima luctatur:** he had always had bad health.

2. **natum putavit:** Petr. 58. 10. The quotation is from Virg. Georg. 4. 90.

3. **civitate:** C. had widely extended the franchise. **in semen relinqui**, 'to keep up the race'.

4. **Augurinus** and **Baba**: low friends of C.: Sen. Ep. 15. 8.

4. l. 9. descendunt, 'are taken off the distaff', cf. l. 13.

l. 22. Refers to Nero's beauty and artistic proclivities.

l. 31. remisso, 'tempered' (or 'reflected'?).

2. χαίροντες . . .: Eur. Fr. 449.

5. 2. caput . . . pedem . . . voce: references to nervous defects in C.

3. ut qui . . . timuerit: text unsound.

4. The lines are from Od. 1. 170 and 9. 39, 40. **historiis:** C. had written several.

6. 1. Marci . . . vides: no explanation of this joke hitherto proposed will bear examination. **municipem**, 'fellow-townsman'. **germanus**, 'out-and-out', a colloq. use, but probably a pun is intended. recipio, 'guarantee'.

2. solutae manus: a sneer at his physical defects and cruelty.

7. 2. l. 10. Apparently means 'in the west, facing the sun-rise'. The slowness of the Arar was noted.

3. mentis suae non est, 'is perturbed'. μωροῦ π. cf. Διὸς π.

4. notorem, 'guarantor'. July and August were the hot months, when the law-courts were usually closed.

8. 1. Epicurean gods have no troubles; Stoic gods are not anthropomorphic.

2. Saturnalicius : Petr. 44. 3 n.

3. caeli, &c. : from Ennius.   μωροῦ, &c. : parodying a ritual formula.

9. 1. p. c. = 'patres conscripti'.   **mapalia** : Petr. 58. 13.

2. postmeridianus, 'consul for an afternoon'—of which there is one case recorded.   ἄμα . . . : Il. 3. 109.

3. famam mimum : Cic. Att. 1. 16. 13 has 'fabam'; cf. Vitr. 7. 9. 2, fabarii minium.   ἀρούρης . . . : the two phrases are common Epic formulas.   **auctoratos** : newly enrolled gladiators.

4. Diespiter : the mythology seems confused, and hard to explain.   **nummulariolus**, 'money-changer'.   **auriculam** : a symbolical act in administering an oath. Hor. Sat. 1. 9. 77.   **censet**, 'puts a resolution'.

5. ferventia . . . : Ennius (?) ; cf. Mart. 13. 16.   **manus manum lavat** : Petr. 45. 13.

10. 1. sententiae . . . **dicendae** : dat. of purpose.   **loco**, 'in turn'.

3. ἔγγιον . . . : 'tunica pallio propior'; 'charity begins at home'.

4. Silanum : accused of incest.

11. 1. ῥῖψε . . . : Il. 1. 591.   **nescio** : on the evening of Messalina's execution, C. is said to have asked 'cur domina non veniret ?' Suet. 39.

2. C. Caesarem : Caligula.

4. clarius is queer : *darius*? (*d* for *cl*.) ; but cf. Sen. *Ira*, 3. 42. 2 for the meaning 'snappy' (Russo, ed. 1948).

6. illuc . . . : Cat. 3. 12.

12. 2. sed plane . . . : 'and sincerely too'.   Saturnalia : 8. 2 *supra*, and Petr. 44. 3 n.

l. 13. **nōti**, 'known'.

l. 15. **scuta** : perh. 'victa'.

l. 18. **securis** : the axes of authority.

l. 22. **nec utra** : *nec* = *ne quidem* : Heraeus' Mart., p. xxviii.

l. 25. **qui dat** : Minos.

l. 30. **concusso** : apparently 'doctored'.

13. 1. Talthybius deorum : i.e. Mercury. T. was Agamemnon's herald.

2. compendiariā : sc. *viā*, 'short cut'.   **celerius** : sc. *abi*.

3. Horatius : Od. 2. 13. 34.

4. εὑρήκαμεν . . ., chant of priests of Apis (Mayor on Juv. 8. 29). **minorem fecerat** : the meaning is obscure.

14. 1. quaerebat, 'presided over court of inquiry'.   **postulat** : sc. Mercury.   **edit** : sc. Aeacus, 'issued a writ', called *subscriptio* from the signatures of the *subscriptores* who backed the prosecutor.   ὅσα . . . : Il. 9. 385.

2. advocatio, 'time to get legal assistance' (*advocatus*).

velle respondere: 'velle' redundant, a colloquialism: cf.
Cat. 93. 1. αἴκε . . . : Hesiod ap. Arist. Eth. N. 5. 5. 3.

3. laturam facere, 'do porter's work'. sufflamino,
'put brake on'.

15. 2. a cognitionibus, 'clerk of the court'.

APPENDIX A

INSCRIPTIONS, ETC.

A. From Pompeii; Graffiti, etc.

1. *On a tomb.* (Cf. 71. 6.)

   M. Porci. M. F. ex dec(urionum) decret(o) in frontem ped. xxv. in agrum ped. xxv.

2. Saturni, Solis, Lunae, Martis, [Mercuri] Iovis, Veneris. (30. 4 n.)

3. *Election announcements.*

   (*a*) P. Paquium Proculum IIvir. virum b. d. r. p. o. v. f. A. Vettium [Caprasi]um Felicem IIvir. v. b. d. r. p. o. v. f.,[1] digni sunt. Q. Marium [Rufum], M. Epídium Sabinum aediles v. a. s. p. p. o. v. f.,[2] digni sunt. s[crip]sit [. . .]sius dealbatore Onesimo.

   (*b*) C. Iulium Polybium aed. o. v. f. Panem bonum fert.

   (*c*) C. Iulium Polybium IIvir. o. v. f. . . . ltum pistores rogant (*b* and *c* illustrate in the most unexpected way ch. 44. 3).

4. *A parody of an election announcement.*

   M. Cerrinium Vatiam aed. o. v. f. seribibi universi rogant. scr. Florus cum Fructo... (*Florus* and *Fructus* occur elsewhere)

5. *Another parody.*

   Vatiam aed. furunculi rog.

---

[1] ' virum bonum dignum re publica, oro vos faciatis ' (i. e. ' elect ').

[2] ' viis, aedibus, sacris, publicis, procurandis.' The name of the advertiser, the owner of the slave Onesimus, is partly defaced.

A P P E N D I X 137

6. *Announcement of gladiatorial fight.*

D. Lucreti Satrí Valentis, flaminis Nerónis Caesaris, Aug. Fílí, perpetui, gladiatórum pariá x., pug. Pompeís vi, v, iv, iii, pr. ídus Apr. vénatió legitima et vela ('awnings') erunt. Scr. Aemilius Celer sing(ulus) ad luna(m). (Celer, a well-known *dealbator*).

7. *Another.*

[C]n. Allei Nigidi Maí quinq(uennalis) gl(adiatorum) par(ia) xxx et eorum supp(ositicii)[1] pugn. Pompeis viii, vii, vi. k. Dec. [. . . .]ellius [. . . .] ven. erit. Maio quinq. feliciter.[2] Paris m. (or v.) marti [. . . .] aio.

8. *Inscription on a picture of Gladiators.*

Tetraites, Prudes. Prudes l(ibertus) p(ugnarum) xiix, Tetraites l. x. . . . (52. 3 n. *Prudes = Prudens*).

9. Suspirium puellarum Tr.[3] Celadus Oct. iii, Ɔ iii.

10. *Local rivalry.* (Cf. Tac. Ann. 14. 17.)

Puteolanis feliciter, omnibus Nucherinis felicia, et uncu (=uncum) Pompeíanis, Petecusanis.

11. *Announcement of sale.* (Cf. 38. 10.)

In praedis Iuliae Sp. f. Felicis, locantur ('to let') balneum Venerium et nongentum,[4] tabernae, pergulae, cenacula, ex idibus Aug. prímís, in idús Aug. sextas, annos continuos quinque. s. q. d. l. e. n. c. (= si quis desiderabit, locatricem eo nomine convenito ?).

12. Insula Arriana Polliana Cn. Alleí Nigidí Mai locantur ex Í. Iulís primis tabernae cum pergulis suis, et cenacula equestria et domus. Conductor convenito Primum Cn. Alleí Nigidi ser(vum).

[For *equestria,* cf. *nongentus* of no. 11.]

---

[1] 45. 11 n.   [2] 60. 7 n.

[3] *Tr.* = T(h)raex.   *Oct.* : another name of Celadus.   *iii Ɔ iii* = trium pugnarum, trium coronarum.   *suspirium* : i. e. he made the girls sigh (for love).

[4] *venerius* = 'charming'; *nongentûm* = good enough for one of the 900 'selecti' who looked after ballot-boxes at elections (Pl. N. H. 33. 7). (Cf. *laticlavius*, 'splendid', 76. 2).

Friendship.

13. Pyrrhus Chío conlegae sal.   moléste fero quod aúdivi te
    mórtuom.   itaq= val.

14. Romulus Cerdoní sal. scias volo me tuí curam aegisse
    (= egisse).

15. C. Vibi Itale, fruniscarus (= -is) s. Atia tua. (Cf. 44.
    16.   s. = *salvos* or *semper*.)

B.   MISCELLANEOUS (ON TOMBS).

16. P. Decimus P. l(ibertus) Eros Merula, medicus, clinicus,
    chirurgus, ocularius, VIvir.   Hic pro libertate dedit
    HS (L milia): hic pro seviratu in rem p. dedit HS
    (II milia); hic in statuas ponendas in aedem Herculis
    dedit HS (xxx milia); hic in vias sternendas in
    publicum dedit HS (xxxvii milia).   Hic pridie quam
    mortuus est reliquit patrimonii HS milia quingenta
    viginti.

17. 'Have Victor Fabianae' (= -e) 'Di vos bene faciant,
    amici.   et vos, viatores, habeatis deos propitios, qui
    Victorem Publicum Fabianum, a censibus P. R. non
    praeteritis.   Salvi eatis, salvi redeatis.   Et vos qui me
    coronatis vel flores iactatis, multis annis faciatis—.'
    ('a censibus' was apparently the name of a clerkship
    Fabianus had held.)

18. Evasi, effugi; spes et fortuna valete !
    Nil mihi vobiscum ; ludificate alios.

19. n. f. n. s. n. c. (non fui, non sum, non curo) and the
    like often occur.

20. Ecce meo iaceo tumulo, neque sentio quicquam;
    Te moneo, fruere, dum tibi vita data est.

21. Dum vibes, homo, vibe; nam post mortem nihil est.
    Omnia remanent et hoc est homo quid vides. (Cf.
    34. 10.)

Cp. VIBAS IN PACE in the Catacombs.

22. Dum vixi, vixi quomodo ingenuum decet,
    (Nam) quod comedi et ebibi tantum meum est.

    (Iambics).

23. Dúm vixi bibí libenter ; bíbite vos qui vívitis. (A troch.
    tetrameter.)

24. D. M. Primitiva have ; Et tu, quisquis es, Vale.   Non
    fueram, non sum, non ad me pertin(et).   Alexand(er)
    actor coniugi Kar(issimae).

25. Hoc tetulo fecet Muntana conius sua Mauricio, qui visit
    con elo annus dodece et portavit annos quarranta,
    Trasit die viii Kl. Iunias [Hunc titulum fecit
    Montana coniux (sua) M. quae vixit cum illo annos
    XII, &c.[1]]   C.I.L. XIII. 7645.

        A Christian inscr.—already well on the way to
    Italian.   Cf. 43. 8 n.

26. *A Graffito from Britain* (*scratched on a tile*).
    'Austalis dibus xiii vagatur sib(i) cotidim', 'Augu-
    stalis wanders off for a fortnight every day' (perhaps of
    a soldier's long 'leaves').

---

[1] So Stolz : perhaps better, qui vixit cum illa, *elo* being a sculptor's
slip for *ela* : Mauricius should be the subject of *portavit*.

APPENDIX B

THE EPHESIAN MATRON (Chapters 111, 112).

An Ephesian matron, famed far and wide for her chastity, on losing her husband, proceeded to such extremities of grief as to take up her dwelling in his tomb with a single maid, intending to end her life with weeping and fasting. In spite of all entreaties she persisted in her purpose, so that the fame of this miracle of fidelity spread through the whole province. In the meantime certain thieves were crucified near the spot, and a soldier set to guard the bodies. At nightfall the soldier, hearing sounds of mourning and seeing a light, approached the tomb. Terrified at first by what he thought a vision of the underworld, he soon recovered himself, and offered food and consolation to the fair mourner, but was indignantly repulsed. The maid, however, after a time, proved less obdurate than the mistress and accepted a little food and wine. Refreshed and invigorated, she began to remonstrate with her mistress until she too consented to share the simple meal. The soldier was now emboldened to offer his love, ably supported by the maid with her Virgilian quotations (Aen. 4. 34 and 38 f.), and eventually succeeded in overcoming the lady's scruples a second time. This friendship lasted for several days (every one thinking the inconsolable widow dead), until one morning the soldier found one of the bodies had been removed during the night. In his despair and shame he was about to fall on his sword, when the lady 'whose chastity was equalled only by her tender heart', interposed. 'Heaven forbid', said she, 'that I should at the same time behold the corpses of the two dearest of men to me; better sacrifice the dead than slay the living'. The husband is promptly transferred from coffin to cross; and thus is the soldier saved 'ingenio prudentissimae feminae'.

NOTE:—This celebrated story occurs first in Phaedrus, and afterwards in the other fabulists, e.g. Romul. 4. 9. It is found in a mutilated form in the Planudean Life of Aesop. It has long been popular in France, occurring, e.g., in Dolopathos (from the 'Seven Wise Masters'—several versions), Marie de France, Eust. Deschamps, a Fabliau (Montaiglon 3. 118), Jacques de Vitry (Crane 232), Étienne de Bourbon, play by Brinon 1614, Brantôme, St. Evremond, La Fontaine (good bibliography in Regnier's edition), and Voltaire (Zadig). In Italy it appears early in the Nov. Antiche (56), in tales by Campeggi, Astemio (Latin) and Sercombi (†1424); in Germany in Camerarius's 'Fables'; in England in John of Salisbury, and as plays 'Women's Tears' (ca. 1600), Chapman's 'Widows' Tears', an opera by Dibdin, and in Taylor's 'Holy Dying' (ad fin.)—where there are at least three other quotations from Petronius—and a recent English version by Christopher Fry, 'A Phoenix too Frequent'; in Russia in a folk-tale from Perm (Sandys, *Class. Schol.* 3. 386); finally in Remusat's 'Contes Chinois'—whence A. France: 'La Matrone du Pays de Soung'. Another Chinese version (*Asiatic Journal*, 1843) is identical with Goldsmith's of eighty years earlier. G. must have got it from Du Halde's description of China (v. Boswell, 1738, Aug. or Sept.: *Rev. Eng. Stud.* II. 5. L. Herrmann (*Bull. Assoc. Budé*, 1927, 20 ff.; cf. *Year's Work* 1927–8, 18) thinks it a true story, which took place *ca.* A. D. 20–30. Both P. and Phaedrus say it had happened recently. Apart from this, his arguments that it was not a Milesian Tale collapse when we reflect P. and Phaedrus were not likely to have reproduced a story already current in Aristeides and Sisenna. The oral *Milesiae* were countless; some are no doubt in Apuleius. The fact that it was depicted on a bas-relief in Nero's palace proves nothing: we know from Pompeii that the art of the time consisted largely of copies. H., however, does prove the MA versions are all late, and may derive from P. (the Chinese and the Planudean are too unlike to count). The *oriental* versions of the *VII Sap.* do not contain the story. (On medieval Hebrew versions see Hadas, *A.J.P.* 1929, 385.) On the whole, I should say it was a *Milesia* orally transmitted, which came to Rome in the first half of the first century A. D.—ultimately from the East, via Ionia (see my note in *Folk-Lore*, June 1947).

The literature on the subject is extensive; most is quoted in Herrmann's article. Add Gaster: 'The Exempla of the Rabbis' (1924), p. 76; Andrae: *Roman. Forsch.*, 1904, 330; *M.L.N.* xxxix. 4; Sage's Petron., Appendix; *R.E.S.* 1926, 56; Rini: 'P. in Italy', N.Y. 1937.

ADDENDA

For bibliography see Bursian's *J-B.*, vols. 235 and 260, (Lommatzsch); *Philologus* Supp. xxv. ii (1933), (Stubbe—much better). *Anzeiger für die Alt.-Wiss.*, 1956. 1 ff. W. Süss 'De . . . Trimalchionis Cenae Sermone Vulgari', Dorpat, 1926 is full of good things. I got very little from Paratore's two large volumes. Sage's American edition has some useful appendices; the notes are disappointing. A. Maiuri's edition (Naples 1945) is good; still better Marmorale's (Florence, 2nd ed. 1948). See also Salonius's 'Die Griechen ... in P.'s "Cena Trim."' Helsingfors 1927. See also my notes in *Cl. Rev.* 1925, p. 117; Hadas in *A.J.P.* 1929, p. 377. Perrochat's very useful French commentary (Paris, 'Les Belles Lettres', 1939) is now available. The names (not only of Trimalchio's circle), except Quartilla, are all Greek, down to the dogs, which is very significant; an exception is Proculus: it may be a re-latinization of Πρόκλος, itself apparently from Proculus. An instance of P.'s care is the name of Menophila, wife of Cario (70. 10): Cario was a name given to slaves from Caria, while Men was the chief god of SW. Asia Minor—i.e. Cario had married a compatriot. Scintilla and Fortunata have Latin names, but as Scintilla is certainly, and F. probably, a slave-name, given by the owner, they also were probably of Eastern stock. See also on 46. 8 and 65. 5. The *hetaerae* in the rest of P. all have characteristic Greek names. (On slave-names see *JRS* 1924, 93 ff.)

We have here a striking confirmation of Tenney Frank's demonstration of the enormous preponderance of the Graeco-Oriental element in Italy under the early Empire. I incline, however, to agree with Süss, against Salonius, that their

solecisms are part of the current Vulgar Latin of the time,
and not due to their foreign extraction. For foreign groups
in Rome see Harv. Theol. Review, 1927, 183–403.

29. 3. for $\eta > \bar{a}$ cf. also machina, Latona, choragus, plaga,
Silanus, panus.
30. 3. **foras**: cf. Cic. Q. Fr. 3. 1. 19, A. Gell. 1. 7. 16, Pl. Amph.
180, 666, &c., Süss, op. cit., pp. 24, 34; 'foras rixate' C.I.L. 4.
3494 (Pompeii).
31. 2. **vinum dominicum**: a senarius; cf. Talmud 'The wine
is the master's, the thanks the butler's' (Hadas). Ar. Eq. 1205.
32. 3. **subauratus**: a slip on P.'s part; how could he tell they
were gilt?
33. 3. **textorum**: Suet. Claud. 46 'ex omnium magistratuum
genere'; Löfstedt, Arnobiana 59; Ev. Luc. 8. 32 ἀγέλη χοίραν
ἱκανῶν; Bede, H.E. 1. 1, variorum generibus conchyliorum.
35. 2: No less than five mimes of Laberius are named after
signs of the Zodiac.
37. 2. **modio**: cf. Xen. Hell. 3. 2. 27.
4. **topanta**: cf. 'omnia Caesar erat', Lucan 3. 108; Livy
40. 11. 3; Marx on Lucil. 613 (Ov. M. 1. 292, 15. 529, Her.
12. 162).
7. Less probably 'look at all this gold' (cf. 38. 5): Cl. Rev.
1926, 217.
10. (v. suppl. notes): Adonis was a second Margites
(Praxilla 2, Diehl): cf. Opitz, Volkstümliches z. Margites (Lpz.
1909) *ad fin.* He did not know 'unde natus esset'; he perhaps
thought he was 'born in a parsley-bed', as we say.
38. 9. Heraeus's *subalapo* is almost certain.
15. **apri**: explained from Apicius 7. 9 by Immisch, Rh.
Mus. 1928, 327. **aliquis**: Löfstedt (Beitr. 1. 115) quotes
examples of *aliquis* = 'another' from late Latin, but not this
passage. Cf. 45. 4 n.
39. 2. **pisces natare**: cf. Eng. proverb 'Fish should swim
thrice' (in water, sauce, and wine); Fr. 'poisson sans boisson est
poison'.
8. **hoc, illoc**: cf. Virg. Aen. 8. 423, C.I.L. 4. 2995.
12. An apparent case of *prae* with accusative is the inscription for a *cantharus* in the basilica of St. Paul at Rome, by Leo I,
d. 461: 'provida pastoris prae totam cura Leonis . . dedit'
(E. Barker, Rome of the Martyrs, p. 286).
40. 1. **toralia**: H has *tolaria*, perhaps a vulgar form; cf.
τολαρία, Dura-Europos, Fourth Report, p. 102.
41. 12. **staminatas**: title of a mime by Laberius; usually connected with στάμνος, but probably from *stamen* (cf. Sen. Ep. 90.
21); as they say in Lancashire, 'put some weft in it' (e.g.

bowling). The connexion, if any, with Fr. *estaminet* is obscure.

42. 2. cor: cf. Ambrose, Hel. et Ies. 12. 43, 'vini incendio cor liquescit'.

4. utres: cf. new frag. of Sophron τί ὦν εἶμες; ἄσκοι πεφυσα-μένοι and a recently discovered inscr. in a Pompeian shop 'aveto, utres sumus' (Bursian JB. 260, p. 97)—a toper's joke?

5. quinque dies: we expect *diebus*, but 'aquam ... panis' is virtually positive, 'he fasted'.

43. 1. On dog's tongue cf. Burris in Cl. Phil. 1935, p. 39.

4. involavit: Fr. *voler* is a late word (xvi cent.), a metaphor from falconry.

8. pullarius confused with *puellarius*: cf. Pl. Pers. 751 (mistaken by Aus. Ep. 70. 5, p. 341 P.), Rud. 748 (Marx). It means *puerorum amator*.

44. 5: Ingenious emendations are 'si milia, si χίλια, in terrore essent' (Salonius); 'simila (fine flour, "Simnel" cakes) si silicia (stony) interior esset' (Bücheler); 'simila si sicilico inferior esset', 'too light by one scruple' (Sinka); 'silicia (= silignea) inferior' (W. Bährens).

18. plovebat: the form is implied by Fr. *pleuvoir*, It. *piovere*, Sp. *llover*; cf. *poveri = pueri* in C.I.L. 4. 3730 (Pompeii) 'Herennium poveri rogant', and the senarius, 3, p. 962[2], 'bene debet esse povero qui discet bene'.

45. 1. modo sic ... : cf. Cic. Att. 1. 17. 6.

4. alicubi = *aliubi*: cf. Tert. Spect. 16, P. Mela 2. 1 ult., 3. 7 ad fin.   **in triduo**: cf. 'in hoc triduo', Pl. Ps. 316; 'in his diebus', Capt. 168; 'in triduo', Ambr. Ep. 30. 3.

8. sestertiarius: cf. Gk. τὰ δέκα τοῦ ὀβόλου, 'ten a penny'. **qui asinum**: Hadas quotes the identical proverb from a Jewish Midrash.

9. filix: cf. *filico* 'waster' (Paulus), *turdelix*; Heraeus on Mart. 5. 34. 1.

11. burdubasta in Aramaic would mean 'pit of shame-fulness'. **flaturae**: apparently a metaphor from casting metal; cf. 'alicuius aeris', A. Gell. 18. 5. 6.

46. 2. persuadeam, for future; cf. Grandgent, Intr. to V. Lat. 125.   **dispare ...** : read *disparpaliavit* (vulg. form, from *palea*: Fr. *éparpiller*).

4. cardeles: cf. *mortus* in Pompeian inscriptions (*-uus* only once); Sp. *muerto*, It. *morto*; *batt(u)ere*, Fr. *battre*; *co(n)-s(u)ere*, Fr. *coudre. quattor*, *Febrarius* freq. in inscriptions; It. *Gennaio*.

5. litteras: ivory letters, to learn the alphabet (cf. Quint. 1. 1. 26): so W. Bährens, Gött. Gel. Anz. 1926, 266: but cf. P. Giss. 85 'send a book for Heraclous (a girl) to read'.

8. Primigenius: Hadas thinks the vogue of this slave-name due to Semitic influence—the importance of the first-born

—and for 'quidquid discis . . .' compares Prov. 9. 12; but cf.
Sen. Ep. 7. 9.

48. 7 (Sibyl): cf. Frazer on Paus. 10. 12. 8; Campbell Bonner
in *Quantulacumque* (1927). This was an ancient explanation of
the name; cf. Hesych. σὶ βόλε· τί θέλεις, Κύπριοι.

51. 6. **quia enim** is common in Plautus: cf. Ussing on
Amph. 659.

52. 3. μάδεια: cf. Bursian JB. 1932, p. 145.

53. 12. **acroama** not in H, here or 78. 5. Here apparently it
has *cromata*, i.e. ὁρώματα, a vulg. form; cf. Rönsch, It. u. Vul.,
p. 254, Acta Perp. & Felic., Vitae Patrum, Aldhelm.

13. **cantare**: cf. Berlioz, Autob. § 13: 'of course I whistle
in French, monsieur'.

55. 3. **ex transverso**: probably 'unexpectedly' (v. L. and Sh.).

56. 8. **aecrophagie saele**: *xerophagiae salsae* (τραγήματα,
something to munch), Salon., probably rightly, nearly 'salted
almonds'. Or perhaps *ex sapa* for *saele*, to answer *seri-sapia*.

57. 2. **duxissem**: I like Friedländer's *cluxissem*, a vulgar
(hypothetical) form of *clusissem* (*clausissem*), 'd' for 'cl'; but
probably W. Baehrens is right in comparing *sanguinem* and *alvum
ducere*.

4. **emit**: Menand. Inc. 214 M. Θρᾷξ εὐγενὴς εἶ πρὸς ἅλας
ἠγορασμένος. **eques . . . filius**, a senarius; cf. '(eques) natus
Romanus inter beta et brassica', C.I.L. 4. 4533 (Pompeii).

8. **mu**: cf. 'mutmut non facere audet' (end of hexameter),
Apul. ap. Charis. 1. 240 K : 'scit neque *bu* neque *ba*', Babio 276
(as in Dutch): twice used in hexameters by Ennius.

58. 4. Plautus has *terrunci facio*, Cicero *assis*, P. *dupundii*:
a sign of the depreciation of money?

5. **besalis**: κικίννους ἀξίους λίτραιν δυοῖν, Diph. xli M.

7. **deurode**: cf. *accede istoc*, 57. 11; *veni hic*, C.Gl.L. 6. 337.

8. **exi**: as in the Pompeian gaming scene, C.I.L. 4. 3494 (Cl.
Rev. 1939, 7).

9. **satagis**: add Arnob. 5. 20; verse ap. Plut., Cup. Div. 525 E.

13. **mufrius** may be connected with *mu* (57. 8).

61. 8. **fefellitus**: cf. Cl. Rev. 1906, 429.

62. 3. **apoculo**: one cannot help thinking of Fr. *reculer*; cf.
culare, 38. 2. F. Eckstein suggests ἀποχαλάω in Philologus, 1928,
223, but his parallels are not convincing. (Fr. *aveugle* <apoculus.)

9. **in tota via**, an unconvincing emendation of *mata vita tau*
(H); this can be read *matavi tatav(i)*, which may be right, a
meaningless jingle 'I biff, baffed': compare phrases like *arse
verse, ista pista sista, tux tax*, 'helter-skelter'. *Mat* may = 'kill',
an oriental word which had got into Latin, as it has into English
(check-*mate*). Cf. 61. 9 n. (two cases): *Matus* 41. 11.

10: in laruam (H) is probably right, 'like a ghost'; cf. 57.

11 *in ingenuum*, which should be kept: cf. Süss, p. 35.

63. 2: Hadas compares a Hebrew proverb, 'when an ass climbs a ladder we may find wisdom in women'.

65. 5. Habinnas: Hadas (l.c.) and Burkitt (J.T.S. 1900, 288; 1901, 429) prove the Semitic origin of the name.

66. 2. autopyrum: Diogenes (ap. Stob.) receiving κάθαρον ἄρτον, threw away the αὐτόπυρος, quoting ὦ ξένε, τυράννοις ἐκποδὼν μεθίστασο (Eur. Ph. 40). Cf. Celsus 2. 18, Luc. Pisc. 45, Ath. 110 E f., 246 A, Nonius s.v. *acerosum*.

3. excellente, a technical term, = 'Grade A': cf. an inscription on an amphora from Wels in Upper Austria, OL(iva) NIG(ra) EX D(ulci) ['in syrup'; see on 56. 8 above] EXC(ellens). **tetigi:** perhaps 'smear'; cf. 'melle contingere', Apic. 7. 10 (295); lexx. s.v. *contingere*.

70. 2: in Livy 35. 49. 7 we have a whole menu from pig-meat; in Mart. 11. 31 from *cucurbita*.

72. 10: cf. Ezek. 46. 9.

73. 5: in **solio** is impossible in *sermo cottidianus*: we must either assume a lacuna, or read *solium* (H.has *solo*).

74. 14. caligaria: compare Cicero's *Clytaemnestra quadrantaria*, of Clodia, and Caligula's *Ulixes stolata*, of Livia.

16. bonatus: cf. *bellatula* (Pl. Cas. 854), *magnatus* (Eccl.).

75. 6. fulcipedia: cf. Pl. Trin. 720 'fulmentas iubeam supponi soccis?' (to make them into military boots): cf. *caligaria* above.

76. 1: For the translation 'deceived', cf. Gen. 31. 20 (R.V. marg.), 31. 26, 2 Sam. 15. 6, 'stole the hearts'—or rather *minds*.

77. 3. cito: 'soon', as Cic. Q.Fr. 2. 13. 2.

6: on the proverb v. C.Q. 1927, 207; add Bion ap. Stob. περὶ πλουσίων: τοὺς οὐδένος ἀξίους καρποῦσθαι τὴν ἀξίαν ὧν κέκτηνται.

APOCOLOCYNTOSIS 1. 1 : I do not understand *anno novo*.

1. 3 ad fin.: parody of an oath, 'I'll speak up, and truly, so help me'; cf. H. Sat. 2. 6. 27, T. Hec. 841. **illum:** sc. Caesarem?

4. l. 4. **coronans:** an extreme case of pres. part used in a past sense; Draeger, § 572: Rev. Et. Lat. 1929, 322.

7. 1. mures ... rodunt: cf. Opitz, l.c., p. 6; Mayor on Juv. 1. 73.

9. 3. fabam mimum: cf. Schmalz, B.Ph.W. 1916, 14 f.

10. 1. loco: Plin. Ep. 6. 19, Tac. A. 2. 32. 2 (Furneaux): the whole is a parody of senatorial procedure, with the technical terms; cf. Cic. Att. 4. 2. 4.

11. 5. placet mihi: as this is a formal motion to be embodied in a *senatusconsultum*, the *mihi* seems out of place.

12. 3. l. 22. nec utra, a normal use; v. Heraeus on Mart. 5. 20. 11 (p. xxviii); Pl. Trin. 283, 533, Cap. 104, Truc. 23.

INDEX

Greek words are marked *.

absentivos, 33. 1.
abstinax, 42. 5.
acia, 76. 11.
acidus, 31. 6.
*acroama, 53. 12, 78. 5.
adcognosco, 69. 2.
aedicula, 29. 8.
aginavi, 61. 9.
alapa (?), 38. 9.
alicubi (= aliubi), 45. 4.
alicula, 40. 5.
*alogiae, 58. 7 ; A. 7. 1.
alveus, 66. 7.
amasiunculus, 45. 7.
*amphitheater, 45. 6.
amplexo, 63. 8.
anatina, 56. 3.
Apelletem, 64. 4.
*apoculo, 62. 3, 67. 3.
*apophoretus, 40, 4, &c.
arbitratu, 66. 4.
arcisellium, 75. 4.
arguto, 46. 1, 57. 8.
arietillus, 39. 5.
arietinus, 35. 3.
*athla, 57. 11.
atriensis, 29. 9.
audaculus, 63. 5.
*automatum, 50. 1, 54. 4.
*autopyrus, 66. 2.

*babaecalae, 37. 10.
*bacalusias, 41. 2.
baccibalum, 61. 6.
balatus, -ūs, 57. 2.
*baliscus (?), 42. 2 (= balneus).

*balneus, 41. 11.
barbatoriam facere, 73. 6.
barcalae, 67. 7.
baro, 53, 11, &c.
berbex, 57. 1.
besalis (' worthless '), 58. 5.
bifurcum (n. adj. as noun), 62.
   16.
*bilychnis, 30. 2.
bisaccium, 31. 9.
bonatus, 74. 16.
botulus, 66. 2.
bovis, 62. 13.
bublus, 44. 11.
bubula (' beef '), 35. 3.
bucca, 43. 3, 44. 2, 64. 12, &c.;
   A. 1. 2.
bulla, 30. 4.
bucinus, 74. 2.
burdubasta, 45. 11.

caccitus, 63. 3.
caduceus, 29. 3.
caelus, 45. 3, 39. 5 and 6.
*calathiscus, 41. 6.
calcitrosus, 39. 6.
caldicerebrius, 45. 5.
caligaria, 74. 14.
calvae, 66. 4.
camella, 64. 13.
candelabrus, 75. 10.
cantabundus, 62. 4.
canturio, 64. 2.
capistrum, 47. 8.
capsella, 67. 9.
cardelis, 46. 4.
*carica, 64. 3.

PRINTED IN GREAT BRITAIN
AT THE UNIVERSITY PRESS, OXFORD
BY VIVIAN RIDLER
PRINTER TO THE UNIVERSITY